Business Model Generation

Inovação em Modelos de Negócios

Um Manual para Visionários, Inovadores e Revolucionários

Business Model Generation – Inovação em Modelos de Negócios Copyright © 2011 Starlin Alta Editora e Consultoria Ltda.
ISBN 978-85-7608-550-8

Translated From Original Business Model Generation ISBN 978-0470-87641-1 Copyright © 2010 by Alexander Osterwalder. All rights reserved including the right of reproduction in whole or in part in any form. Portuguese language edition Copyright © 2011 by Starlin Alta Editora e Consultoria. Ltda. All rights reserved including the right of reproduction in whole or in part in any form. This translation was published by arrangement with Jonh Wiley & Sons, Inc.

Todos os direitos reservados e protegidos por Lei. Nenhuma parte deste livro, sem autorização prévia por escrito da editora, poderá ser reproduzida ou transmitida.

Erratas: No site da editora relatamos, com a devida correção, qualquer erro encontrado em nossos livros.

Marcas Registradas: Todos os termos mencionados e reconhecidos como Marca Registrada e/ou Comercial são de responsabilidade de seus proprietários. A Editora informa não estar associada a nenhum produto e/ou fornecedor apresentado no livro.

Conteúdos em Websites: Os endereços de websites listados neste livro podem ser alterados ou desativados a qualquer momento pelos seus mantenedores, sendo assim, a Alta Books não controla ou se responsabiliza por qualquer conteúdo de terceiros."

Impresso no Brasil

Vedada, nos termos da lei, a reprodução total ou parcial deste livro

---

Produção Editorial
Editora Alta Books

Gerência Editorial
Anderson Vieira

Supervisão Editorial
Angel Cabeza
Sergio Luiz de Souza

Design Editorial
Auleriano Messias
Aurélio Correia
Rodrigo Araujo

Equipe Editorial
Claudia Braga
Letícia Vitoria de Souza
Livia Brazil
Mayara Coelho
Marcelo Vieira
Milena Lepsch
Milena Souza
Natália Gonçalves
Raquel Ferreira
Thiê Alves

Captação e Contratação de Obras Nacionais
Cristiane Santos
J.A Rugeri
Marco Pace
autoria@altabooks.com.br

Marketing e Promoção
Hanna Carriello
marketing@altabooks.com.br

Vendas
Daniele Fonseca
Viviane Paiva
comercial@altabooks.com.br

Ouvidoria
ouvidoria@altabooks.com.br

Tradução
Raphael Bonelli

Copidesque
Clara Vidal

Revisão Gramatical
Renata Valérie Abreu

Revisão Técnica
Germán C. Alfonso
Luís Eduardo de Carvalho
Saulo Bonassi
Sócios da Nodal Consultoria

Diagramação
Lúcia Quaresma

O85g   Osterwalder, Alexander.
        Business Model Generation – Inovação em Modelos de Negócios: um manual para visionários, inovadores e revolucionários / Alexander Osterwalder, Yves Pigneur. – Rio de Janeiro, RJ : Alta Books, 2011.
        300 p. : il.
        Inclui bibliografia.
        ISBN 978-85-7608-550-8
1   1. Modelos de Negócios - inovação. 2. Empreendedorismo. 3. Administração de empresas - Planejamento estratégico. 5. Sucesso nos negócios. I. Pigneur, Yves. II. Título.
                                              CDU 658.012.2
                                              CDD 658.401

ALTA BOOKS
EDITORA

Rua Viúva Cláudio, 291 – Bairro Industrial do Jacaré
CEP: 20970-031 – Rio de Janeiro – Tels.: 21 3278-8069/8419 Fax: 21 3277-1253
www.altabooks.com.br – e-mail: altabooks@altabooks.com.br
www.facebook.com/altabooks – www.twitter.com/alta_books

Business Model Generation

Inovação em Modelos de Negócios

Um Manual para Visionários, Inovadores e Revolucionários

Escrito por
Alexander Osterwalder e Yves Pigneur

Projeto Gráfico
Alan Smith, The Movement

Editor e Coautor
Tim Clark

Produção
Patrick van der Pijl

Cocriado por um incrível grupo de
470 profissionais de 45 países

ALTA BOOKS
EDITORA

Rio de Janeiro, 2011

Cocriado por:

Ellen Di Resta
Michael Anton Dila
Remko Vochteloo
Victor Lombardi
Matthew Milan
Ralf Beuker
Sander Smit
Norbert Herman
Karen Hembrough
Ronald Pilot
Yves Claude Aubert
Wim Saly
Frank Camille Lagerveld
Andres Alcalde
Alvaro Villalobos M
Bernard Racine
Peter Froberg
Lino Piani
Eric Jackson
Indrajit Datta Chaudhuri
Jeroen de Jong
Gertjan Verstoep
Steven Devijver
Jana Thiel
Jeremy Hayes
Alf Rehn
Jeff De Cagna
Andrea Mason
Jan Ondrus
Simon Evenblij
Chris Walters
Caspar van Rijnbach
benmlih
Rodrigo Miranda
Saul Kaplan
Lars Geisel
Simon Scott
Dimitri Lévita
Johan √ñrneblad
Craig Sadler

Praveen Singh
Livia Labate
Kristian Salvesen
Daniel Egger
Diogo Carmo
Marcel Ott
Atanas Zaprianov
Linus Malmberg
Deborah Mills-Scofield
Peter Knol
Jess McMullin
Marianela Ledezma
Ray Guyot
Martin Andres Giorgetti
Geert van Vlijmen
Rasmus Rønholt
Tim Clark
Richard Bell
Erwin Blom
Frédéric Sidler
John LM Kiggundu
Robert Elm
Ziv Baida
Andra Larin-van der Pijl
Eirik V Johnsen
Boris Fritscher
Mike Lachapelle
Albert Meige
Woutergort
Fanco Ivan Santos Negrelli
Amee Shah
Lars Mårtensson
Kevin Donaldson
JD Stein
Ralf de Graaf
Lars Norrman
Sergey Trikhachev
Thomas
Alfred Herman
Bert Spangenberg

Robert van Kooten
Hans Suter
Wolf Schumacher
Bill Welter
Michele Leidi
Asim J. Ranjha
Peter Troxler
Ola Dagberg
Wouter van der Burg
Artur Schmidt
Pekka Matilainen
Bas van Oosterhout
Gillian Hunt
Bart Boone
Michael Moriarty
Mike
Design for Innovation
Tom Corcoran
Ari Wurmann
Antonio Robert
Wibe van der Pol
paola valeri
Michael Sommers
Nicolas Fleury
Gert Steens
Jose Sebastian Palazuelos Lopez
jorge zavala
Harry Heijligers
Armand Dickey
Jason King
Kjartan Mjoesund
Martin Fanghanel
Michael Sandfær
Niall Casey
John McGuire
Vivian Vendeirinho
Martèl Bakker Schut
Stefano Mastrogiacoo
Mark Hickman

Dibrov
Reinhold König
Marcel Jaeggi
John O'Connell
Javier Ibarra
Lytton He
Marije Sluis
David Edwards
Martin Kuplens-Ewart
Jay Goldman
Isckia
Nabil Harfoush
Yannick
Raoef Hussainali
Walter Brand
Stephan Ziegenhorn
Frank Meeuwsen
Colin Henderson
Danilo Tic
Marco Raaijmakers
Marc Sniukas
Khaled Algasem
Jan Pelttari
Yves Sinner
Michael Kinder
Vince Kuraitis
Teofilo Asuan Santiago IV
Ray Lai
Brainstorm Weekly
Huub Raemakers
Peter Salmon
Philippe
Khawaja M.
Jille Sol
Renninger, Wolfgang
Daniel Pandza
Guilhem Bertholet
Thibault Estier
Stephane Rey
Chris Peasner

Jonathan Lin
Cesar Picos
Florian
Armando Maldonado
Eduardo Míguez
Anouar Hamidouche
Francisco Perez
Nicky Smyth
Bob Dunn
Carlo Arioli
Pablo M. Ramírez
Jean-Loup
Colin Pons
Vacherand
Guillermo Jose Aguilar
Adriel Haeni
Lukas Prochazka
Kim Korn
Abdullah Nadeem
Rory O'Connor
Hubert de Candé
Frans Wittenberg
Jonas Lindelöf
Gordon Gray
Slabber
Peter Jones
Sebastian Ullrich
Andrew Pope
Fredrik Eliasson
Bruce MacVarish
Göran Hagert
Markus Gander
Marc Castricum
Nicholas K. Niemann
Christian Labezin
Claudio D'Ipolitto
Aurel Hosennen
Adrian Zaugg
Louis Rosenfeld
Ivo Georgiev

Donald Chapin
Annie Shum
Valentin Crettaz
Dave Crowther
Chris J Davis
Frank Della Rosa
Christian Schüller
Luis Eduardo de Carvalho
Patrik Ekström
Greg Krauska
Giorgio Casoni
Stef Silvis
ronald van den hoff
Melbert Visscher
Manfred Fischer
Joe Chao
Carlos Meca
Mario Morales
Paul Johannesson
Rob Griffitts
Marc-Antoine Garrigue
Wassili Bertoen
Bart Pieper
Bruce E. Terry
Michael N. Wilkens
Himikel -TrebeA
Robin Uchida
Pius Bienz
Ivan Torreblanca
Berry Vetjens
David Crow
Helge Hannisdal
Maria Droujkova
Leonard Belanger
Fernando Saenz-Marrero
Susan Foley
Vesela Koleva
Martijn
Eugen Rodel
Edward Giesen

Marc Faltheim
Nicolas De Santis
Antoine Perruchoud
Bernd Nurnberger
Patrick van Abbema
Terje Sand
Leandro Jesus
Karen Davis
Tim Turmelle
Anders Sundelin
Renata Phillippi
Martin Kaczynski
Frank
Ricardo Dorado
John Smith
Rod
Eddie
Jeffrey Huang
Terrance Moore
nse_55
Leif-Arne Bakker
Edler Herbert
Björn Kijl
Chris Finlay
Philippe Rousselot
Rob Schokker
Stephan Linnenbank
Liliana
Jose Fernando Quintana
Reinhard Prügl
Brian Moore
Gabi
Marko Seppänen
Erwin Fielt
Olivier Glassey
Francisco Conde
    Fernández
Valérie Chanal
Anne McCrossan
Jose Alfonso Lopez

Eric Schreurs
Donielle Buie
Adilson Chicória
Asanka Warusevitane
Jacob Ravn
Hampus Jakobsson
Adriaan Kik
Julián Domínguez Laperal
Marco W J Derksen
Dr. Karsten Willrodt
Patrick Feiner
Dave Cutherell
Edwin Beumer
Dax Denneboom
Mohammed Mushtaq
Gaurav Bhalla
Silvia Adelhelm
Heather McGowan
Phil Sang Yim
Noel Barry
Vishwanath
    Edavayyanamath
Rob Manson
Rafael Figueiredo
Jeroen Mulder
Manuel Toscano
John Sutherland
Remo Knops
Juan Marquez
Chris Hopf
Marc Faeh
Urquhart Wood
Lise Tormod
Curtis L. Sippel
Abdul Razak Manaf
George B. Steltman
Karl Burrow
Mark McKeever
Bala Vaddi
Andrew Jenkins

Dariush Ghatan
Marcus Ambrosch
Jens Hoffmann
Steve Thomson
Eduardo M Morgado
Rafal Dudkowski
António Lucena de Faria
Knut Petter Nor
Ventenat Vincent
Peter Eckrich
Shridhar Lolla
Wouter Verwer
Jan Schmiedgen
Ugo Merkli
Jelle
Dave Gray
Rick le Roy
Ravila White
David G Luna Arellano
Joyce Hostyn
Thorwald Westmaas
Jason Theodor
Sandra Pickering
Trond M Fflòvstegaard
    Larsen
Fred Collopy
Jana Görs
Patrick Foran
Edward Osborn
Greger Hagström
Alberto Saavedra
Remco de Kramer
Lillian Thompson
Howard Brown
Emil Ansarov
Frank Elbers
Horacio Alvaro Viana Di
    Prisco
Darlene Goetzman
Mohan Nadarajah

Fabrice Delaye
Sunil Malhotra
Jasper Bouwsma
Ouke Arts
Alexander Troitzsch
Brett Patching
Clifford Thompson
Jorgen Dahlberg
Christoph Mühlethaler
Ernest Buise
Emilio De Giacomo
Franco Gasperoni
Michael Weiss
Francisco Andrade
Arturo Herrera Sapunar
Vincent de Jong
Kees Groeneveld
Henk Bohlander
Sushil Chatterji
Tim Parsey
Georg E. A. Stampfl
Markus Kreutzer
Iwan Schneider
Linda Bryant
Jeroen Hinfelaar
Dan Keldsen
Damien
Roger A. Shepherd
Morten Povlsen
Lars Zahl
Elin Mørch Langlo
Xuemei Tian
Harry Verwayen
Riccardo Bonazzi
André Johansen
Colin Bush
Jens Larsson
David Sibbet
Mihail Krikunov
Edwin Kruis

Roberto Ortelli
Shana Ferrigan Bourcier
Jeffrey Murphy
Lonnie Sanders III
Arnold Wytenburg
David Hughes
Paul Ferguson
Frontier Service
    Design, LLC
Peter Noteboom
Jeaninne Horowitz Gassol
Lukas Feuerstein
Nathalie Magniez
Giorgio Pauletto
Martijn Pater
Gerardo Pagalday Eraña
Haider Raza
Ajay Ailawadhi
Adriana Ieraci
Daniël Giesen
Erik Dejonghe
Tom Winstanley
Heiner P. Kaufmann
Edwin Lee Ming Jin
Markus Schroll
Hylke Zeijlstra
Cheenu Srinivasan
Cyril Durand
Jamil Aslam
Oliver Buecken
John Wesner Price
Axel Friese
Gudmundur Kristjansson
Rita Shor
Jesus Villar
Espen Figenschou-
    Skotterud
James Clark
Alfonso Mireles
Richard Zandink

Fraunhofer IAO
Tor Rolfsen Grønsund
David M. Weiss
Kim Peiter Jørgensen
Stephanie Diamond
Stefan Olsson
Anders Stølan
Edward Koops
Prasert Thawat-
    chokethawee
Pablo Azar
Melissa Withers
Michael Schuster
Ingrid Beck
Antti Äkräs
EHJ Peet
Ronald Poulton
Ralf Weidenhammer
Craig Rispin
Nella van Heuven
Ravi Sodhi
Dick Rempt
Rolf Mehnert
Luis Stabile
Enterprise Consulting
Aline Frankfort
Alexander Korbee
J Bartels
Steven Ritchey
Clark Golestani
Leslie Cohen
Amanda Smith
Benjamin De Pauw
Andre Macieira
Wiebe de Jager
Raym Crow
Mark Evans DM
Susan Schaper

"O ambiente digital demanda uma nova forma de olhar os negócios de mídia. O BMG é a ferramenta que escolhemos para nos ajudar a navegar melhor nesse mundo convergente."

Jorge Nóbrega – *Diretor Geral de Gestão Corporativa* – **Organizações Globo**

"Inovação em Modelos de Negócios – Uma metodologia fantástica para implementar a inovação como principal diferencial competitivo no século 21."

Michael Lenn Ceitlin – *Diretor-Superintendente* – **Mundial S/A**

"Um livro inovador na sua criação, no conteúdo e de leitura fascinante. Destinado a quem se propõe a criar negócios e pessoas em permanente busca de algo mais no mundo empresarial"

Marcelo Chamma – *Diretor* – **Votorantim Cimentos**

BUSINESS MODEL GENERATION - PREFÁCIO A EDIÇÃO BRASILEIRA

Assim como ocorreu com a *Qualidade* nos anos 1980, os *Processos* nos anos 1990 e a *Estratégia* na década seguinte, *Inovação* é a palavra-chave no mundo da gestão nos tempos atuais.

Mas inovar não é simples, o que temos aprendido com nossos clientes na *Nodal Consultoria* é que inovação requer algumas pré-condições, muitas vezes caras às empresas como: confiança, diversidade, tempo disponível, troca de ideias e certo grau de informalidade.

Como nos ensinou o saudoso C. K. Prahalad, vivemos e continuaremos a viver uma nova era da inovação onde, cada vez menos, as grandes inovações serão em *produtos*. A *inovação pela cocriação de valor, na gestão* e *em Modelos de Negócios*, desempenharão um papel fundamental neste contexto, a essas formas denominamos as *Novas Fronteiras da Inovação*.

Lidar com as *Novas Fronteiras da Inovação* é provocativo e inspirador. Se por um lado nos sentimos sem orientação sobre como agir nesse cenário, por outro, temos a nossa frente um quadro em branco a ser preenchido.

É dentro desse contexto, especificamente na fronteira da inovação em Modelos de Negócios, que surge o *Inovação em Modelos de Negócios*. Um livro extremamente inteligente, elegante e divertido. Até então, inovar em Modelos de Negócios era algo etéreo, o livro vem para atuar nesse ponto, trazendo ferramentas incríveis, como o Canvas, que nos permite entender rapidamente o funcionamento de um modelo e ensaiar algumas inovações.

O BMG talvez seja um dos poucos livros de negócios que nossas crianças adorariam passear pelas páginas. Não tenho dúvidas de que ele inaugura uma nova era neste tipo de literatura.

Mas, muito mais que tudo isso, o livro serve como um alento, aos nos possibilitar pensar em um universo das empresas mais divertido. O espírito do livro é contagiante, não são poucos os executivos que acompanhamos que, já nas primeiras páginas, têm *insights* valiosos aos seus negócios.

Outro aspecto que diferencia esse livro dos demais foi o seu processo de construção, um processo cocriativo do qual tive o orgulho de participar. Foi uma aventura conjunta, onde 470 pessoas de 45 países distintos colaboraram durante 6 meses. E aqui vale ressaltar uma característica marcante do autor principal, Alex Osterwalder, ele pratica o chamado *walk the talk*, ou seja, prega a cocriação e novos Modelos de Negócios, aplicando isso ao próprio livro, defende o *design thinking* e nos presenteia com um livro que deixa até os mais exigentes designers impressionados.

A nós brasileiros, esse livro também é muito interessante porque nos desafia e apresenta instrumentos para a criação de empresas com Modelos de Negócios que reflitam nossa criatividade natural enquanto nação. Não faltam bons exemplos de inovação em Modelos de Negócios por aqui: **Restaurante por Quilo** – que, de tão frequentes, já nos passam quase desapercebidos enquanto inovadores ao nos permitirem cocriar o cardápio e a quantidade desejada. **Consórcios** –um sistema de poupança coletiva que viabiliza a aquisição de bens e hoje movimenta quase 1% do Produto Interno Bruto (PIB) anualmente. **Atacarejo** – uma vibrante inovação na venda de produtos alimentícios que mescla características do atacado com o varejo, voltada a empresas de alimentação de pequeno porte e criada pelo *Assai Atacadista*. E a **Assinatura Mensal de Água Potável** – criada pela *Brastemp Água*, onde os consumidores, em vez de adquirirem os purificadores, pagam uma assinatura mensal onde já está incluída a manutenção do equipamento. Nosso desafio: assimilar as práticas aqui presentes e tornar nossas empresas ainda mais competitivas no cenário internacional.

Desejo a todos uma ótima e divertida leitura!

Luís Eduardo de Carvalho
Sócio-Fundador da Nodal Consultoria e
Editor do Blog Inovação e Estratégia (www.inovacaoeestrategia.com.br)
Um dos 470 Cocriadores do Livro BMG - Inovação em Modelos de Negócios

Você tem espírito empreendedor?

sim_____ não_____

Você está sempre pensando em como criar valor e construir novos negócios, ou em como aprimorar ou transformar sua organização?

sim_____ não_____

Você busca encontrar novas maneiras de fazer negócio para substituir formatos antigos e ultrapassados?

sim_____ não_____

Se você respondeu "sim" para qualquer uma dessas perguntas, bem-vindo ao grupo!

Você tem em suas mãos um livro feito para visionários, inovadores e revolucionários que se esforçam para derrubar modelos de negócio ultrapassados e projetar os empreendimentos do amanhã. Este é um livro para a inovação em Modelos de Negócios.

Incontáveis modelos inovadores surgem a cada dia. Indústrias completamente novas se formam enquanto as antigas desabam. Os inovadores desafiam a velha guarda, que luta fervorosamente para se reinventar.

Como você imagina a cara do modelo de negócios da sua empresa daqui a dois, cinco, dez anos? Você ficará entre os principais jogadores? Vai encarar concorrentes apresentando novos e formidáveis modelos de negócio?

Este livro apresenta uma visão profunda sobre a natureza dos modelos de negócios. Descreve modelos tradicionais e inovadores e técnicas dinâmicas e inovadoras, como se posicionar em um cenário intensamente competitivo e como liderar o redesenho do modelo de negócios da sua organização.

Certamente, você já percebeu que este não é um livro de estratégia ou gerenciamento qualquer. Foi projetado para transmitir a essência do que você precisa saber, em um formato rápido, simples e visual. Exemplos são apresentados com imagens, e o conteúdo é complementado com exercícios e atividades que você pode colocar em prática imediatamente. Em vez de escrever um livro convencional, tentamos fazer um guia prático para visionários, empreendedores e desafiadores. Trabalhamos para criar um belo livro e, assim, ampliar o prazer do seu "consumo". Esperamos que goste de usá-lo tanto quanto gostamos de criá-lo.

Uma comunidade online complementa o livro (e foi indispensável para sua criação, como você verá em breve). Já que a inovação do modelo de negócios é um campo em rápida evolução, você vai querer ir além dos fundamentos expostos aqui em *Inovação em Modelos de Negócios* e descobrir a variedade de ferramentas online. Por favor, considere entrar para nossa comunidade mundial de negociantes, administradores e pesquisadores, que cocriaram este livro. Lá você pode participar de discussões sobre modelos de negócio, aprender com as ideias de outros e testar novas ferramentas fornecidas pelos autores. Visite o Business Model Hub em www.BusinessModelGeneration.com/hub.

A inovação dos Modelos de Negócios não é uma coisa nova. Quando os fundadores do Diners Club apresentaram seu cartão de crédito, em 1950, estavam praticando essa inovação. O mesmo vale para a Xerox, ao apresentar seu esquema de leasing de máquina fotocopiadora e o sistema de pagamento por cópia, em 1959. De fato, podemos rastrear inovações de modelo de negócios até o século XV, quando Johannes Gutenberg buscou aplicações para o dispositivo mecânico de impressão que inventou.

Mas a proporção e a velocidade com a qual modelos de negócio inovadores estão transformando a indústria agora são sem precedentes. Para empreendedores, executivos, consultores e acadêmicos, este é o momento certo para tentar compreender o impacto desta extraordinária evolução, e lidar metodicamente com seus desafios.

No fim das contas, a inovação em modelos de negócios é sobre criar valor, seja para as empresas, ou clientes ou para toda a sociedade. Trata-se de substituir modelos ultrapassados. Com o iPod e o iTunes, a Apple criou um modelo de negócio que transformou a empresa em uma força dominante no mercado da música digital. O Skype barateou as ligações internacionais e ainda trouxe as ligações gratuitas de Skype para Skype, com um modelo de negócio baseado na tecnologia conhecida como peer-to-peer. Atualmente, é a maior operadora de tráfego de voz no mundo. A Zipcar livra os habitantes da cidade das inconveniências da posse de um automóvel, oferecendo aluguel de veículos sob demanda, por hora ou diária, com um sistema de sociedade. É um modelo de negócio que surgiu em resposta às necessidades emergentes dos usuários e a pressão das preocupações ambientais. O Grameen Bank está ajudando a aliviar a pobreza popularizando o microempréstimo para aqueles que mais precisam.

Mas como inventar, projetar e implementar sistematicamente modelos assim? Como questionar, desafiar e transformar modelos velhos e ultrapassados? Como transformar ideias visionárias em modelos de negócios que virem o jogo – ou rejuvenesçam o jogo, caso sejamos nós mesmos os atuais líderes? Inovação em Modelos de Negócios pretende trazer essas respostas.

Já que a prática supera a simples teoria, adotamos um novo modelo para escrever este livro. Quatrocentos e setenta membros do Business Model Innovation Hub contribuíram com o manuscrito, com casos, exemplos e comentários críticos – e abraçamos de coração suas respostas. Leia mais sobre essas experiências no capítulo final do livro.

As Sete Faces da Inovação em Modelos de Negócios

O Executivo Sênior

Jean-Pierre Cuoni,
Presidente / EFG International

Foco: Estabelecer um novo modelo de negócio em uma indústria tradicional.

Jean-Pierre Cuoni é presidente do EFG International, um banco privado que tem aquele que talvez seja o mais inovador modelo de negócios da atualidade. Com o EFG, ele vem transformando profundamente as relações tradicionais entre bancos, clientes e gerentes. Elaborar, produzir e executar um modelo de negócios inovador em uma indústria conservadora, com jogadores já estabelecidos, é uma arte que coloca o EFG International entre os bancos que mais crescem no setor.

O 'Intrapreneur'

Dagfinn Myhre,
Chefe da R&I Business Model / Telenor

Foco: Explorar os últimos desenvolvimentos tecnológicos com os modelos de negócios apropriados.

Dagfinn lidera uma unidade modelo da Telenor, uma das dez maiores operadoras de telefonia celular no mundo. O setor de telecomunicações exige inovações contínuas, e as iniciativas de Dagfinn ajudam a Telenor a identificar e compreender modelos sustentáveis que exploram o potencial dos desenvolvimentos tecnológicos mais recentes. Com análises profundas de tendências-chave, desenvolvendo e utilizando ferramentas de ponta, a equipe de Dagfinn explora novos conceitos e novas oportunidades de negócio.

A Empreendedora

Mariëlle Sijgers,
CDEF Holding BV

Foco: Cuidar de demandas de clientes não atendidas e construir novos Modelos de Negócios ao redor delas.

Marielle Sijgers é uma empreendedora experiente. Em parceria com Ronald van den Hoff, ela está abalando a indústria de reuniões, congressos e hospitalidade. Guiada pelas necessidades de clientes insatisfeitos, a dupla inventou novos conceitos, como o Seats2meet.com, que permite o agendamento instantâneo de reuniões em locais não tradicionais. Juntos, Sijgers e van den Hoff estão sempre brincando com novas ideias e lançando conceitos mais promissores como novos empreendimentos.

O Investidor

Gert Steens,

Presidente e Analista de Investimentos / Oblonski BV

Foco: Investir nas empresas com os modelos de negócios mais competitivos.

Gert ganha a vida identificando os melhores modelos de negócios. Investir na empresa errada ou no modelo de negócios errado poderia custar aos seus clientes milhões de euros, e a ele, sua reputação. Compreender modelos de negócios é parte crucial de seu trabalho. Ele vai muito além da análise financeira e compara modelos de negócios entre si, para identificar as diferenças estratégicas que trarão a vantagem competitiva. Gert está sempre buscando inovações.

O Consultor

Bas van Oosterhout,

Consultor Sênior / Capgemini Consulting

Foco: Ajudar clientes a questionar seus antigos modelos de negócio, e implementar novos.

Bas é parte da Equipe de Inovação de Negócios da Capgemini. Com seus clientes, ele trabalha, apaixonadamente, para melhorar desempenhos e renovar a competitividade, apostando na inovação. A inovação dos modelos de negócios é componente crucial de seu trabalho, dada a sua alta relevância nos projetos dos clientes. Seu objetivo é inspirar e apoiar clientes com novos modelos, da idealização à implementação. Para isso, Bas usa sua compreensão dos mais poderosos modelos de negócio, não importa a indústria.

A Designer

Trish Papadakos,

Proprietária / The Institute of You

Foco: Encontrar o modelo de negócios correto para cada produto inovador.

Trish é uma talentosa jovem designer, particularmente hábil em capturar a essência de uma ideia e costurá-la nas comunicações ao cliente. Atualmente, trabalha em uma ideia pessoal, um serviço que ajude pessoas em momento de transição entre carreiras. Depois de semanas de pesquisas aprofundadas, ela agora está lidando com a prática do projeto em si. Trish sabe que precisa descobrir o modelo de negócios correto. Compreende o cliente – é com ele que ela trabalha diariamente como designer. Mas, não tendo educação formal em administração, precisa do vocabulário e das ferramentas para conseguir ver o cenário como um todo.

O Empreendedor Meticuloso

Iqbal Quadir,

Empreendedor Social / Fundador da Grameen Phone

Foco: Trazer mudanças sociais e econômicas positivas com a ajuda de modelos de negócios inovadores.

Iqbal está na busca constante por modelos de negócios inovadores, com potencial para causar impacto social profundo. Seu modelo transformador levou o serviço de telefonia para mais de 100 milhões de habitantes em Bangladesh, utilizando a rede de microcrédito do Grameen Bank. Ele agora está atrás de um novo modelo para levar eletricidade à populações mais carentes. Como chefe do Legatum Center do MIT, promove autonomia tecnológica, utilizando negócios inovadores como caminho para o desenvolvimento socioeconômico.

Sumário

Este livro está dividido em cinco seções: ❶ O Canvas, uma ferramenta para descrever, analisar e projetar modelos de negócios; ❷ Padrões de Modelo de Negócios, baseados nos conceitos dos maiores pensadores da administração; ❸ Técnicas para ajudar você a criar o design dos seus próprios modelos de negócio; ❹ Reinterpretar suas estratégias sob a ótica dos modelos de negócios e ❺ Um processo genérico para ajudar você a projetar modelos inovadores, unindo todos os conceitos, todas as técnicas e ferramentas vistas no livro. ● A última seção é um resumo com os cinco tópicos para exploração futura.
○ O epílogo é uma espiada no "making of" do BMG - Inovação em Modelos de Negócios.

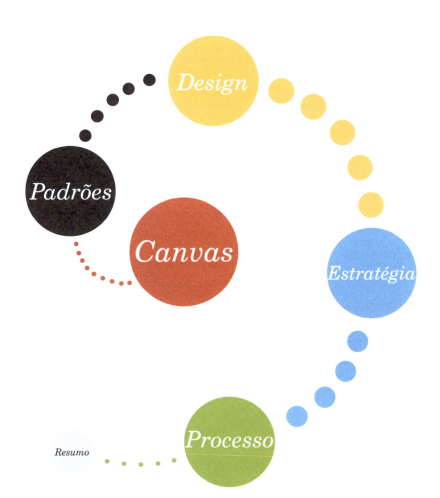

❶ O Canvas

14 Definição de Modelo de Negócios

16 Os 9 Componentes

44 O Canvas do Modelo de Negócios

❷ Padrões

56 Modelos de Negócios Desagregados

66 A Cauda Longa

76 Plataformas Multilaterais

88 GRÁTIS como Modelo de Negócios

108 Modelos de Negócios Abertos

❸ Design

126 Insights dos Clientes

134 Ideação

146 Pensamento Visual

160 Protótipos

170 Contando Histórias

180 Cenários

❹ Estratégia

200 Ambiente de Modelo de Negócios

212 Avaliando Modelos de Negócios

226 A Estratégia do Oceano Azul sob a Ótica do Modelo de Negócios

232 Gerenciando Múltiplos Modelos de Negócios

❺ Processo

244 Processo de Construção do Modelo de Negócios

● Resumo

262 Resumo

○ Epílogo

274 De Onde Veio Este Livro?

276 Referências

nvas

O Canvas de Modelo de Negócios

Uma linguagem comum para descrever, visualizar, avaliar e alterar Modelos de Negócios

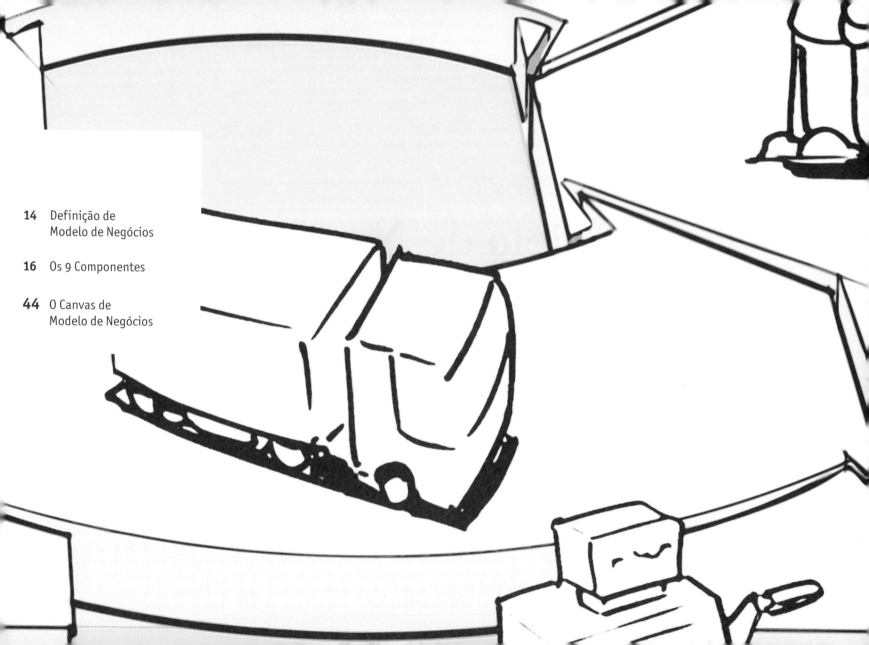

14 Definição de Modelo de Negócios

16 Os 9 Componentes

44 O Canvas de Modelo de Negócios

Definição de Modelo de Negócios

Um Modelo de Negócios descreve a lógica de criação, entrega e captura de valor por parte de uma organização

O ponto de partida para qualquer boa discussão, reunião ou workshop de inovação de um Modelo de Negócios deve ser a compreensão compartilhada do que realmente é um Modelo de Negócios. Precisamos de um conceito de Modelo de Negócios que todos compreendam: de fácil descrição, que facilite a discussão. Precisamos começar todos do mesmo ponto e falar sobre a mesma coisa. O desafio é que esse conceito deve ser simples, relevante e intuitivamente compreensível, ao mesmo tempo em que não simplifique demais a complexidade do funcionamento de uma empresa.

Nas páginas seguintes, ofereceremos um conceito que permita a você descrever e pensar sobre o Modelo de Negócios da sua organização, seus concorrentes ou qualquer outra empresa. Este conceito foi aplicado e testado em todo o mundo e já é utilizado por organizações como IBM, Ericsson, Deloitte, Public Works e o governo do Canadá, entre outras.

O conceito pode se tornar uma linguagem comum que permita a você descrever e manipular facilmente Modelos de Negócios para criar novas estratégias. Sem essa linguagem fica difícil desafiar sistematicamente as suposições sobre determinado Modelo de Negócios e inovar com sucesso.

Acreditamos que um Modelo de Negócios pode ser melhor descrito com nove componentes básicos, que mostram a lógica de como uma organização pretende gerar valor. Os nove componentes cobrem as quatro áreas principais de um negócio: clientes, oferta, infraestrutura e viabilidade financeira. O Modelo de Negócios é um esquema para a estratégia ser implementada através das estruturas organizacionais dos processos e sistemas.

Os 9 Componentes

1 Segmentos de Clientes

Uma organização serve a um ou diversos Segmentos de Clientes.

2 Proposta de Valor

Busca resolver os problemas do cliente e satisfazer suas necessidades, com propostas de valor.

3 Canais

As propostas de valor são levadas aos clientes por Canais de comunicação, distribuição e vendas.

4 Relacionamento com Clientes

O Relacionamento com Clientes é estabelecido e mantido com cada Segmento de Clientes.

RS

5 Fontes de Receita

As Fontes de Receita resultam de propostas de valor oferecidas com sucesso aos clientes.

RP

6 Recursos Principais

Os Recursos Principais são os elementos ativos para oferecer e entregar os elementos previamente descritos...

AC

7 Atividades- -Chave

...ao executar uma série de Atividades-Chave.

PP

8 Parcerias Principais

Algumas atividades são terceirizadas e alguns recursos são adquiridos fora da empresa.

CS

9 Estrutura de Custo

Os elementos do Modelo de Negócios resultam na estrutura de custo.

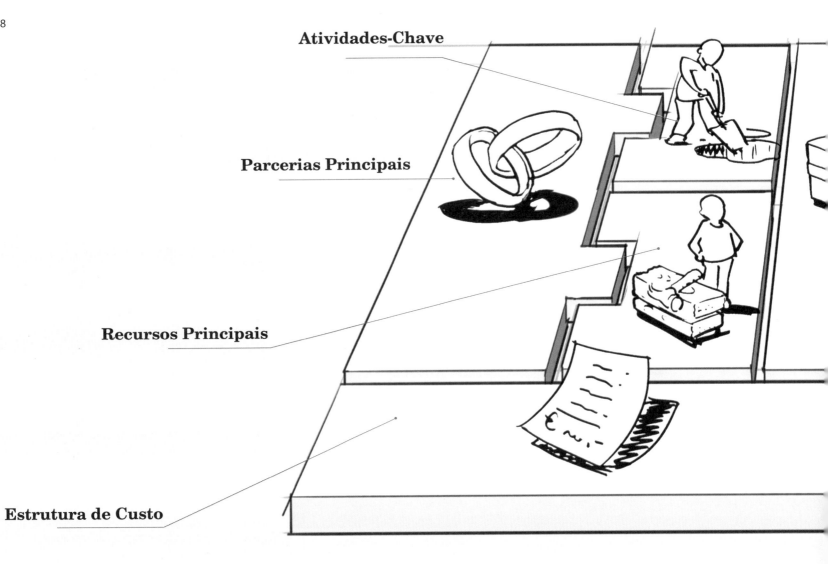

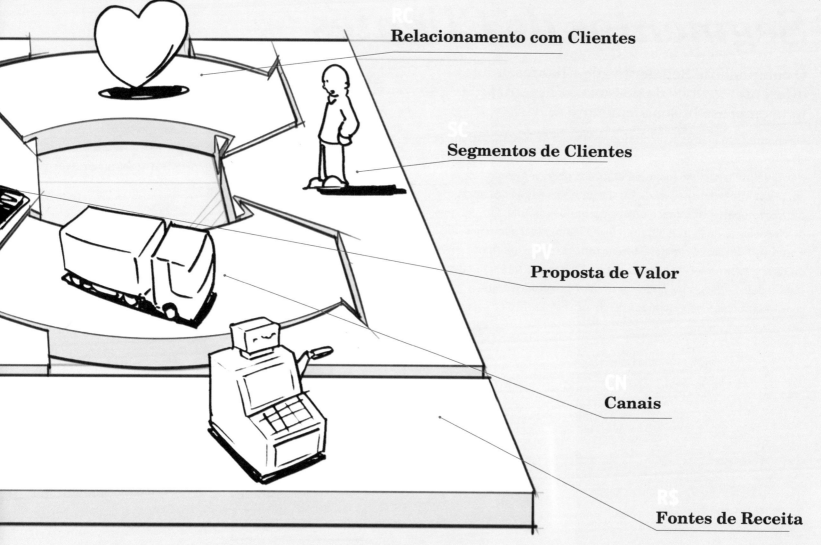

1 *Segmentos de Clientes*

O componente Segmentos de Clientes define os diferentes grupos de pessoas ou organizações que uma empresa busca alcançar e servir.

Os clientes são o âmago de qualquer Modelo de Negócios. Sem clientes, nenhuma empresa pode sobreviver por muito tempo. Para melhor satisfazê-los, uma empresa precisa agrupá-los em segmentos distintos, cada qual com necessidades comuns, comportamentos comuns, e outros atributos comuns. Um Modelo de Negócios pode definir um ou vários segmentos, pequenos ou grandes. A organização deve tomar uma decisão consciente sobre quais segmentos servir e quais ignorar. Uma vez tomada a decisão, um Modelo de Negócios pode ser melhor projetado já com a compreensão das necessidades de clientes específicos.

Grupos de clientes representam segmentos distintos se:
- *Suas necessidades exigem e justificam uma oferta diferente;*
- *São alcançados por canais de distribuição diferentes;*
- *Exigem diferentes tipos de relacionamento;*
- *Têm lucratividades substancialmente diferentes;*
- *Estão dispostos a pagar por aspectos diferentes da oferta.*

Para quem estamos criando valor?
Quem são nossos consumidores mais importantes?

Há diferentes tipos de Segmentos de Cliente.
Aqui estão alguns exemplos.

Mercado de Massa

Os Modelos de Negócios concentrados em mercados de massa não distinguem entre diferentes Segmentos de Clientes. As Propostas de Valor, os Canais de Distribuição e o Relacionamento com os Clientes se concentram em um grupo uniforme de clientes com necessidades e problemas similares. Este tipo de negócio é mais encontrado no setor de eletrônicos de consumo.

Nicho de Mercado

Modelos de Negócios que visam nicho de mercados atendem Segmentos de Clientes específicos e especializados. A Proposta de Valor, os Canais e o Relacionamento com Clientes são adequados às exigências específicas de um nicho de mercado. Esses Modelos de Negócios são encontrados nas relações entre fornecedores e compradores. Por exemplo, muitos fabricantes de peças de carro dependem muito dos grandes fabricantes de automóveis.

Segmentado

Alguns Modelos de Negócios fazem distinção entre segmentos do mercado com necessidades e problemas sutilmente diferentes. O braço de revenda de um banco como o Credit Suisse, por exemplo, pode distinguir entre um grupo grande de clientes, cada um possuindo recursos de até US$ 100.000, e um grupo menor de clientes mais ricos, cada um com renda acima dos US$ 500.000. Ambos segmentos têm necessidades e problemas similares, porém variados. Isso tem implicações em outros fundamentos do Modelo de Negócios do Credit Suisse, como as Propostas de Valor, os Canais, o Relacionamento com Clientes e as Fontes de Receita. Pense na Micro Precision Systems, que se especializa em fornecer projetos micromecânicos e soluções manufaturadas terceirizadas. Ela serve a três Segmentos de Clientes diferentes – a indústria de relógios, a indústria médica e o setor de automação industrial – e oferece a cada um deles Propostas de Valor sutilmente diferentes.

Diversificada

Uma organização com um Modelo de Negócios diversificado serve Segmentos de Clientes com necessidades e problemas muito diferentes. Por exemplo, em 2006, a Amazon decidiu diversificar seu negócio de revenda oferecendo serviços de computação em nuvem: espaço de armazenamento online e servidores sob demanda. Assim, começou a reunir um Segmento de Clientes totalmente diferente – as empresas de Web – com Propostas de Valor completamente diferentes. A racionalização estratégica por trás dessa diversificação pode ser encontrada na infraestrutura de TI da Amazon, a qual pode ser compartilhada com suas operações de venda e a nova unidade de serviço de computação em nuvem.

Plataforma Multilateral (ou Mercados Multilaterais)

Algumas organizações servem dois ou mais Segmentos de Clientes interdependentes. Uma empresa de cartão de crédito, por exemplo, precisa de uma grande base de proprietários de cartões, e uma grande base de comerciantes que aceitem tal cartão. Da mesma forma, um empreendimento que ofereça um jornal gratuito precisa de uma grande base de leitores para atrair anunciantes. Por outro lado, ele também precisa de anunciantes para financiar a produção e a distribuição. Ambos segmentos são necessários para fazer o Modelo de Negócios funcionar (leia mais sobre plataformas multilaterais na página 76).

2 *Proposta de Valor*

O componente Proposta de Valor descreve o pacote de produtos e serviços que criam valor para um Segmento de Clientes específico.

A Proposta de Valor é o motivo pelo qual os clientes escolhem uma empresa ou outra. Ela resolve um problema ou satisfaz uma necessidade do consumidor. Cada Proposta de Valor é um pacote específico que supre as exigências de um Segmento de Clientes específico. Nesse sentido, a Proposta de Valor é uma agregação ou conjunto de benefícios que uma empresa oferece aos clientes.

Algumas Propostas de Valor podem representar uma oferta inovadora. Outras podem ser similares a outras já existentes no mercado, mas com características e atributos adicionais.

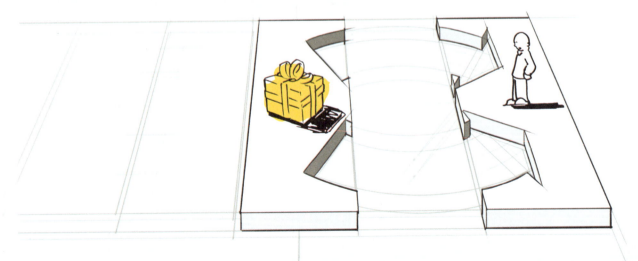

Que valor entregamos ao cliente?
Qual problema estamos ajudando a resolver?
Que necessidades estamos satisfazendo?
Que conjunto de produtos e serviços estamos oferecendo para cada Segmento de Clientes?

Uma Proposta de Valor cria valor para um Segmento de Clientes com uma combinação de elementos direcionados especificamente para as necessidades daquele segmento. Os valores podem ser quantitativos (ex.: preço, velocidade do serviço) ou qualitativos (ex.: design, experiência do cliente).

Elementos da lista não exaustiva a seguir, podem contribuir para a criação de valor para o cliente.

Novidade

Algumas Propostas de Valor satisfazem um conjunto completamente novo de necessidades, que os clientes anteriormente sequer percebiam ter, dada a carência de ofertas similares. Em geral, embora nem sempre, há uma relação com a tecnologia. Telefones celulares, por exemplo, criaram toda uma nova indústria em torno da telecomunicação móvel. Por outro lado, produtos como fundos éticos de investimento têm pouco a ver com novas tecnologias.

Desempenho

Melhorar o desempenho de produtos e serviços é uma maneira tradicional de criar valor. O setor de PCs depende desse fator, ao lançar máquinas mais potentes no mercado. Mas melhorar o desempenho tem limites. Nos anos recentes, por exemplo, os PCs mais rápidos, com mais espaço de armazenamento em disco e melhores placas de vídeo não vêm produzindo crescimento correspondente na demanda de clientes.

Personalização

A adequação de produtos e serviços às necessidades específicas de clientes individuais ou Segmentos de Cliente gera valor. Em anos recentes, os conceitos de customização em massa e cocriação ganharam importância. O método permite a customização de produtos e serviços e ainda tira vantagem da economia em larga escala.

"Fazendo o que deve ser feito"

O valor pode ser criado apenas ao ajudar um cliente a executar certos serviços. A Rolls-Royce entende disso: as companhias aéreas, que são suas clientes, dependem inteiramente da companhia para fabricar e executar a manutenção dos seus motores a jato. O negócio permite que esses clientes se concentrem em gerenciar suas companhias aéreas. Por outro lado, a empresa aérea paga a Rolls-Royce uma taxa para cada hora de funcionamento do motor.

Design

O design é um elemento importante, porém difícil de medir. Um produto pode se destacar por seu design superior. Na moda e na indústria de eletrônicos, o design pode ser uma parte particularmente importante da Proposta de Valor.

Marca/status

Os clientes podem considerar como valor o simples ato de poder usar e exibir uma marca específica. Usar um relógio Rolex, por exemplo, é sinal de riqueza. Do outro lado do espectro, skatistas, por exemplo, podem vestir marcas "underground" para mostrar que estão "por dentro".

Preço

Oferecer valores similares por um preço menor é uma maneira comum de satisfazer as necessidades dos Segmentos de Cliente aos quais esse fator interessa. Mas a Proposta de Valor de baixo preço têm implicações importantes no resto do Modelo de Negócios. Companhias aéreas "econômicas", como a Southwest, a EasyJet e a Ryanair criaram modelos de negócio inteiramente baseados em permitir viagens aéreas de baixo custo. Outro exemplo de Proposta de Valor baseada no preço pode ser vista no Nano, um novo carro projetado e fabricado pelo conglomerado indiano Tata. Seu preço surpreendentemente baixo torna o automóvel acessível para um novo segmento da população indiana. Cada vez mais, ofertas gratuitas começam a permear vários ramos da indústria. Tais ofertas vão de jornais gratuitos até serviços de e-mail gratuito, telefones celulares gratuitos e mais (veja a pag. 88 para mais informações sobre GRÁTIS).

Redução de custo

Ajudar os clientes a reduzir custos é uma forma importante de gerar valor. A Salesforce.com, por exemplo, vende um aplicativo de gerenciamento de relacionamento com o cliente (CRM) que poupa os compradores de gastar dinheiro e enfrentar problemas para comprar, instalar e gerenciar seu software eles mesmos.

Redução de risco

Clientes valorizam a redução de riscos ao adquirir produtos e serviços. Para o comprador de um carro usado, uma garantia de um ano já reduz para ele o risco de defeitos e reparos. Uma garantia em nível de serviço reduz parcialmente o risco de um comprador de serviços terceirizados de TI.

Acessibilidade

Tornar produtos e serviços acessíveis à clientes é outra maneira de criar valor. Pode vir da inovação de modelos de negócio, novas tecnologias ou de uma combinação de ambos. A NetJets, por exemplo, popularizou o conceito de propriedade compartilhada de jatinhos particulares, um serviço anteriormente inacessível para a maioria dos clientes. Fundos mútuos também servem de exemplo de criação de valor através do aumento da acessibilidade. Esse inovador produto financeiro tornou possível a construção de portfólios de investimento diversificado até mesmo para aqueles que não são tão ricos.

Conveniência/usabilidade

Deixar os produtos mais convenientes ou fáceis de utilizar pode criar valor substancial. Com o iPod e o iTunes, a Apple ofereceu aos clientes uma conveniência sem precedentes na busca, compra, no download e no ato de ouvir música digital. Ela agora domina esse mercado.

3 *Canais*

O componente Canais descreve como uma empresa se comunica e alcança seus Segmentos de Clientes para entregar uma Proposta de Valor.

Canais de comunicação, distribuição e venda compõem a interface da empresa com os clientes. Os canais são o ponto de contato dos clientes e desempenham um importante papel na sua experiência geral.

Os Canais servem a diversas funções, incluindo:
- *Ampliar o conhecimento dos clientes sobre os produtos e serviços da empresa;*
- *Ajudar os clientes a avaliar a Proposta de Valor de uma empresa;*
- *Permitir que os clientes adquiram produtos e serviços específicos;*
- *Levar uma Proposta de Valor aos clientes;*
- *Fornecer suporte ao cliente após a compra.*

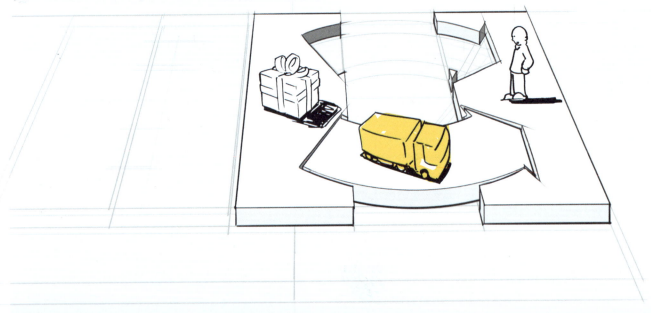

Através de quais Canais nossos Segmentos de Clientes querem ser contatados? Como os alcançamos agora? Como nossos Canais se integram? Qual funciona melhor? Quais apresentam melhor custo-benefício? Como estão integrados à rotina dos clientes?

Os Canais têm cinco fases distintas. Cada Canal pode cobrir algumas ou todas as fases. Podemos distinguir entre Canais diretos e indiretos, bem como entre Canais particulares e Canais em parceria.

Encontrar a mistura certa de Canais para satisfazer o modo como os clientes querem ser contatados é crucial para levar uma Proposta de Valor ao mercado. Uma organização pode optar entre alcançar seus clientes através de canais particulares, canais em parceria ou uma mistura de ambos. Canais particulares podem ser diretos, como uma equipe de vendas ou um site, ou indiretos, como lojas de revenda possuídas ou operadas pela organização. Canais de parceria são indiretos e abrangem toda uma gama de opções, como distribuição de atacado, revenda ou sites de parceiros.

Os canais de parceria levam à margens de lucro menores, mas permitem que uma organização expanda seu alcance e se beneficie da força do parceiro. Canais particulares têm margens de lucro maiores, mas podem custar dinheiro para preparar e operar. O truque é encontrar o equilíbrio entre os diferentes tipos de canais, a fim de integrá-los de modo a criar uma ótima experiência para o consumidor e maximizar os lucros.

Tipos de Canais

Particulares	Direto	Equipes de Venda
		Vendas na Web
	Indireto	Lojas Próprias
Parceiros		Lojas Parceiras
		Atacado

Fases do Canal

1. Conhecimento
Como aumentamos o conhecimento sobre nossos produtos e serviços?

2. Avaliação
Como ajudamos os clientes a avaliarem a Proposta de Valor de nossa organização?

3. Compra
Como permitimos aos clientes comprar produtos e serviços específicos?

4. Entrega
Como entregamos uma Proposta de Valor aos clientes?

5. Pós-venda
Como fornecemos apoio pós-venda aos clientes?

4 *Relacionamento com Clientes*

O componente Relacionamento com Clientes descreve os tipos de relação que uma empresa estabelece com Segmentos de Clientes específicos.

Uma empresa deve esclarecer o tipo de relação que quer estabelecer com cada Segmento de Cliente. As relações podem variar desde pessoais até automatizadas. O Relacionamento com Clientes pode ser guiado pelas seguintes motivações:

- *Conquista do cliente;*
- *Retenção do cliente;*
- *Ampliação das vendas.*

No começo do processo, por exemplo, o Relacionamento com Clientes das operadoras de celular era guiado por estratégias agressivas de aquisição, envolvendo até telefones gratuitos. Quando o mercado se tornou saturado as operadoras mudaram o foco para a retenção de clientes e o aumento da lucratividade média por cliente.

O Relacionamento com Clientes utilizado pelo Modelo de Negócios de uma empresa influencia profundamente a experiência geral de cada cliente.

Que tipo de relacionamento cada um dos nossos Segmentos de Clientes espera que estabeleçamos com eles? Quais já estabelecemos? Qual o custo de cada um? Como se integram ao restante do nosso Modelo de Negócios?

Podemos distinguir entre diversas categorias de Relacionamento com Clientes, que podem coexistir em uma relação da companhia com Segmento de Clientes em particular:

Assistência pessoal

Baseada na interação humana. O cliente pode se comunicar com um representante de verdade para obter auxílio durante o processo de venda ou depois que a compra esteja completa. Isso pode acontecer no próprio ponto de venda, por call centers, e-mail, entre outros.

Assistência pessoal dedicada

Esta relação envolve dedicar um representante específico para um cliente individual. Ela é mais profunda e íntima, normalmente se desenvolvendo por um longo período de tempo. Em bancos privados, por exemplo, gerentes dedicados servem aos clientes de maior renda. Relações similares podem ser encontradas em outros negócios, como gerentes que mantêm relações pessoais com clientes importantes.

Self-service

A empresa não mantém nenhum relacionamento direto com os clientes, mas fornece todos os meios necessários para que eles se sirvam.

Serviços automatizados

Este tipo de relação mistura uma forma mais sofisticada de self-service com processos automatizados. Por exemplo, perfis pessoais online dão ao cliente acesso a serviços personalizados. Serviços automatizados podem reconhecer clientes individuais e suas características, e oferecer informações sobre pedidos e transações. Na melhor das hipóteses, serviços automatizados chegam a simular uma relação pessoal (ex.: oferecendo recomendações de livros ou filmes).

Comunidades

Cada vez mais, as empresas utilizam comunidades de usuários para se envolverem mais com clientes e prospects, e facilitar as conexões entre membros da comunidade. Muitas empresas mantêm comunidades online que permitem aos usuários trocar conhecimento e resolver problemas uns dos outros. As comunidades também podem ajudar as empresas a compreender melhor seus clientes. A gigante farmacêutica GlaxoSmithKline lançou uma comunidade online particular quando apresentou o *alli*, um novo produto para perda de peso, que não requeria apresentação de receita.
A GlaxoSmithKline queria entender melhor os desafios encarados por adultos acima do peso e, assim, aprender a lidar melhor com suas expectativas.

Cocriação

Muitas empresas estão indo além da tradicional relação cliente-vendedor para cocriar valor com os clientes. A Amazon convida os consumidores a escrever resenhas e opinar e, assim, criar valor para outros amantes de livros. Algumas empresas permitem aos clientes colaborar em novos projetos. Outras, como o YouTube, solicitam aos clientes a criação de conteúdo para consumo público.

5 *Fontes de Receita*

O componente Fontes de Receita representa o dinheiro que uma empresa gera a partir de cada Segmento de Clientes (os custos devem ser subtraídos da renda para gerar o lucro).

Se o cliente é o coração de um Modelo de Negócios, o componente Fontes de Receita é a rede de artérias. Uma empresa deve se perguntar: que valor cada Segmento de Clientes está realmente disposto a pagar? Responder com sucesso a essa pergunta permite que a firma gere uma ou mais Fontes de Receita para cada segmento. Cada um pode ter mecanismos de precificação diferentes, como uma lista fixa, promoções, leilões, dependência de mercado, dependência de volume ou gerenciamento de produção.

Um Modelo de Negócios pode envolver dois tipos diferentes de Fontes de Receita:
1. *Transações de renda resultantes de pagamento único;*
2. *Renda recorrente, resultante do pagamento constante, advindo da entrega de uma Proposta de Valor aos clientes ou do suporte pós-compra.*

Quais valores nossos clientes estão realmente dispostos a pagar? Pelo que eles pagam atualmente? Como pagam? Como prefeririam pagar? O quanto cada Fonte de Receita contribui para o total da receita?

Há diversas maneiras de se gerar Fontes de Receita:

Venda de recursos

A Fonte de Receita mais amplamente conhecida é resultado da venda do direito de posse de um produto físico. A Amazon vende livros, discos, eletrônicos e muito mais. A Fiat vende automóveis, que os compradores estão livres para dirigir, revender ou até mesmo destruir.

Taxa de uso

Este é gerado pelo uso de um determinado serviço. Quanto mais o serviço é utilizado, mais o cliente paga. Uma operadora de telecomunicações pode cobrar o cliente pelo número de minutos gastos. Um hotel cobra pelo número de noites de uso dos quartos. Um serviço de entrega de encomendas cobra pela entrega de um pacote.

Taxa de Assinatura

Gerada pela venda do acesso contínuo a um serviço. Uma academia vende aos seus membros assinaturas mensais ou anuais em troca do acesso ao local de exercícios. O World of Warcraft, um jogo online, permite que os usuários joguem em troca do pagamento de uma taxa mensal. O serviço Comes with Music, da Nokia, dá aos usuários acesso a uma biblioteca de músicas através de uma assinatura.

Empréstimos/Aluguéis/Leasing

Dá direito temporário exclusivo a um recurso em particular, por um período fixo, em troca de uma taxa. Para quem aluga, isto traz a vantagem de rendas recorrentes. Locatários, por outro lado, aproveitam o benefício de gastar por um tempo limitado, ao invés de arcar com os custos totais da posse. A Zipcar.com é um bom exemplo. A empresa permite que os clientes aluguem carros, pagando por hora, em cidades dos EUA. O serviço levou muitos a alugarem ao invés de comprar seus próprios carros.

Licenciamento

Dá aos clientes a permissão para utilizar propriedade intelectual protegida, em troca de taxas de licenciamento. O licenciamento permite ao portador dos direitos gerar renda a partir de sua propriedade, sem precisar de um produto nem comercializar um serviço. O licenciamento é comum na mídia, onde os proprietários do conteúdo mantêm o direito de cópia, enquanto vendem as licenças de uso para terceiros. De maneira similar, no setor da tecnologia, os proprietários da patente garantem à outras empresas o direito de utilizar uma tecnologia patenteada em troca de uma licença.

Taxa de Corretagem

Esta Fonte de Receita tem origem em serviços de intermediação executados em prol de duas ou mais partes. Operadoras de cartão de crédito, por exemplo, obtêm renda tomando um percentual do valor de cada transação entre mercador e cliente. Corretores e agentes imobiliários ganham uma comissão cada vez que combinam comprador e vendedor com sucesso.

Anúncios

Resulta de taxas para anunciar determinado produto, serviço ou marca. Tradicionalmente, a indústria da mídia e de organizadores de evento dependem demais das rendas com a publicidade. Em anos mais recentes, outros setores, incluindo os de software e serviços, começaram a depender mais delas, também.

Cada Fonte de Receita pode ter diferentes mecanismos de precificação. O tipo de mecanismo de preço escolhido pode fazer uma grande diferença em termos da receita gerada. Há dois tipos principais de mecanismos de preço: preço fixo e dinâmico.

Mecanismos de Precificação

Precificação Fixa Preços predefinidos baseados em variáveis estáticas		**Precificação Dinâmica** Os preços mudam com base nas condições do mercado	
Preço de Lista	Preços fixos para produtos, serviços ou outras Propostas de Valores individuais.	*Negociação (barganha)*	Preço negociado entre dois ou mais parceiros, depende do poder e/ou das habilidades de negociação.
Dependente da característica do produto	O preço depende do número ou da qualidade das características da Proposta de Valor.	*Gerenciamento de Produção*	O preço depende do inventário e do momento da compra (normalmente utilizado para recursos esgotáveis, como quartos de hotel ou assentos de linhas aéreas).
Dependente dos Segmentos de Clientes	O preço depende do tipo e de todas as características dos Segmentos de Clientes.	*Mercado em tempo real*	O preço é estabelecido dinamicamente, com base na oferta e na demanda.
Dependente de volume	O preço fica em função da quantidade comprada.	*Leilões*	Preço determinado pelo resultado de um leilão competitivo.

6 | *Recursos Principais*

O componente Recursos Principais descreve os recursos mais importantes exigidos para fazer um Modelo de Negócios funcionar.

Cada Modelo de Negócios requer Recursos Principais. Eles permitem que uma empresa crie e ofereça sua Proposta de Valor, alcance mercados, mantenha relacionamentos com os Segmentos de Cliente e obtenha receita. Diferentes Recursos Principais são necessários dependendo do Modelo de Negócios. Um fabricante de microchip requer fábricas de capital intensivo, enquanto um projetista de microchip se concentra mais nos recursos humanos.

Os Recursos Principais podem ser físicos, financeiros, intelectuais ou humanos. Podem ser possuídos ou alugados pela empresa ou adquiridos de parceiros-chave.

Que Recursos Principais nossa Proposta de Valor requer? Nossos Canais de Distribuição? Relacionamento com o Clientes? Fontes de Receita?

Os Recursos Principais podem ser categorizados como:

Físico

Esta categoria inclui recursos físicos como fábricas, edifícios, veículos, máquinas, sistemas, pontos de venda e redes de distribuição. Varejistas como o Wal-Mart e a Amazon dependem de recursos físicos que, frequentemente, custam muito dinheiro. A primeira possui uma enorme rede global de lojas e infraestrutura logística. Já a segunda tem uma extensiva infraestrutura de TI, estoques e logística.

Intelectual

Recursos intelectuais, como marcas, conhecimentos particulares, patentes e registros, parcerias e banco de dados são componentes cada vez mais importantes em um forte Modelo de Negócios. Recursos intelectuais são difíceis de desenvolver, mas quando criados com sucesso podem oferecer valor substancial. Empresas como a Nike e a Sony dependem de suas marcas como Recurso Principal. A Microsoft e a SAP dependem de softwares e de propriedade intelectual que foi desenvolvida ao longo de muitos anos. A Qualcomm, desenvolvedora e fornecedora de placas para dispositivos portáteis de banda larga, construiu seu Modelo de Negócios projetando microchips patenteados que rendem taxas de licença substanciais para a empresa.

Humano

Toda empresa exige recursos humanos, por isso as pessoas são particularmente importantes em certos modelos de negócio. Por exemplo, recursos humanos são cruciais em indústrias criativas e de conhecimento. Uma empresa farmacêutica como a Novartis depende deles: seu Modelo de Negócios está baseado em um exército de cientistas experientes e uma grande e hábil equipe de vendas.

Financeiro

Alguns modelos de negócio exigem recursos e/ou garantias financeiras, como dinheiro e linhas de crédito ou opção de ações para contratar funcionários cruciais. A Ericsson, da área de telecomunicação, serve de exemplo de alavancagem de recurso financeiro dentro de um Modelo de Negócios. Ela pode optar por tomar emprestado fundos de bancos e mercados de capital e, então, utilizar uma porção para financiar clientes, garantindo que venham até eles e não à concorrência.

7 *Atividades-Chave*

O componente Atividades-Chave descreve as ações mais importantes que uma empresa deve realizar para fazer seu Modelo de Negócios funcionar.

Todo Modelo de Negócios pede por um número de Atividades-Chave. São as ações mais importantes que uma empresa deve executar para operar com sucesso. Assim como os Recursos Principais, elas são necessárias para criar e oferecer a Proposta de Valor, alcançar mercados, manter Relacionamento com o Cliente e gerar renda. E, assim como os Recursos Principais, as Atividades-Chave se diferenciam dependendo do tipo de Modelo de Negócios. Para a Microsoft, as Atividades-Chave incluem o desenvolvimento de software.

Para a Dell, as Atividades-Chave incluem o gerenciamento da cadeia de fornecimento. Para a consultoria McKinsey, as Atividades-Chave incluem a resolução de problemas.

Que Atividades-Chave nossa Proposta de Valor requer? Nossos Canais de Distribuição? Relacionamento com Clientes? Fontes de Receita?

As Atividades-Chave podem ser categorizadas desta forma:

Produção

Estão relacionadas com desenvolvimento, fabricação e entrega de produtos em quantidades substanciais e/ou qualidade superior. A atividade de produção domina os modelos de negócio da manufatura.

Resolução de Problemas

Relacionam-se com novas soluções para problemas de clientes específicos. As operações de consultoria, hospitais e outras organizações de prestação de serviço estão tipicamente dominadas por atividades de resolução de problemas. Seus modelos de negócio pedem atividades como gerenciamento de conhecimento e treinamento contínuo.

Plataforma/rede

Os modelos de negócios projetados com uma plataforma como Recurso Principal são dominadas pelas Atividades-Chave de plataforma ou rede. Redes, plataformas de combinação, software e até mesmo marcas podem funcionar como plataforma. O modelo do eBay exige que a empresa desenvolva e mantenha continuamente sua plataforma: o site ebay.com. O modelo da Visa exige atividades relacionadas a plataforma do seu cartão de crédito para comerciantes, clientes e bancos. O modelo da Microsoft exige o gerenciamento da interface entre outros comerciantes de software, e sua plataforma de sistema operacional Windows. As Atividades-Chave da categoria se relacionam com o gerenciamento de plataformas, fornecimento de serviços e a promoção das plataformas.

8 *Parcerias Principais*

O componente Parcerias Principais descreve a rede de fornecedores e os parceiros que põem o Modelo de Negócios para funcionar.

As empresas formam parcerias por diversas razões, e as parcerias vêm se tornando uma peça fundamental em muitos Modelos de Negócios. Empresas criam alianças para otimizar seus modelos, reduzir riscos ou adquirir recursos.

Podemos distinguir quatro tipos diferentes de parcerias:
1. Alianças estratégicas entre não competidores;
2. Coopetição: parcerias estratégicas entre concorrentes;
3. Joint ventures para desenvolver novos negócios;
4. Relação comprador-fornecedor para garantir suprimentos confiáveis.

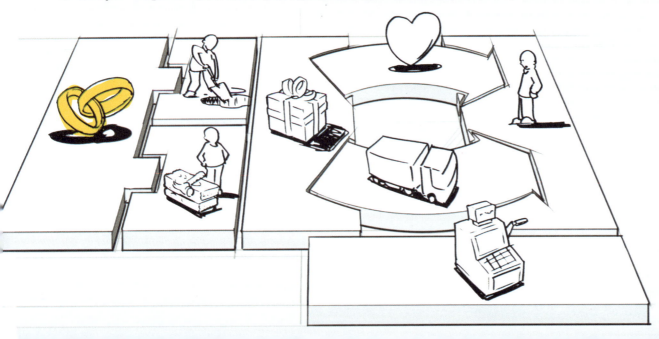

Quem são nossos principais parceiros? Quem são nossos fornecedores principais? Que recursos principais estamos adquirindo dos parceiros? Que Atividades-Chave os parceiros executam?

Pode ser útil distinguir entre três motivações para uma parceria:

Otimização e economia de escala

A forma mais básica de parceria ou relação comprador-fornecedor é designada para otimizar a alocação de recursos e atividades. É ilógico uma empresa possuir todos os recursos e executar todas as atividades sozinha. As parcerias de otimização e economia de escala geralmente são formadas para reduzir custos e, em geral, envolvem terceirização e uma infraestrutura compartilhada.

Redução de riscos e incertezas

As parcerias podem ajudar a reduzir os riscos em um ambiente competitivo, caracterizado por incertezas. Não é incomum que concorrentes formem alianças estratégicas em uma área enquanto competem em outra. O Blu-ray, por exemplo, é um formato de disco óptico desenvolvido em conjunto por um grupo de fabricantes mundiais de eletrônicos de consumo, computadores e mídia. O grupo cooperou para trazer a tecnologia Blu-ray ao mercado, ainda que os membros ainda estejam competindo entre si para vender seus próprios produtos Blu-ray.

Aquisição de recursos e atividades particulares

Poucas empresas possuem todos os recursos ou executam todas as atividades descritas em seus modelos de negócio. Elas estendem suas próprias capacidades, dependendo de outras firmas para produzir recursos particulares ou executar certas atividades. Tais parcerias podem ser motivadas pela necessidade de adquirir conhecimento, licenças, ou acesso aos clientes. Uma fabricante de telefones celulares, por exemplo, pode licenciar um sistema operacional para seus aparelhos em vez de desenvolver um localmente. Uma seguradora pode optar por corretores independentes para vender apólices em vez de criar sua própria equipe de vendas.

9 | *Estrutura de Custo*

A Estrutura de Custo descreve todos os custos envolvidos na operação de um Modelo de Negócios.

Este componente descreve os custos mais importantes envolvidos na operação de um Modelo de Negócios específico. Criar e oferecer valor, manter o Relacionamento com Clientes e gerar receita incorrem em custos. Tais custos podem ser calculados com relativa facilidade depois de definidos os recursos principais, atividades-chave e parcerias principais. Alguns Modelos de Negócios, entretanto, são mais direcionados pelos custos que outros. As linhas aéreas 'econômicas', por exemplo, têm construído Modelos de Negócios inteiramente baseados em estruturas de baixo custo.

Quais são os custos mais importantes em nosso Modelo de Negócios? Que recursos principais são mais caros? Quais Atividades-Chave são mais caras?

Naturalmente, os custos devem ser minimizados em todos os Modelos de Negócios. Mas Estruturas de Baixo Custo são mais importantes em alguns Modelos de Negócios que em outros. Assim, pode ser útil distinguir entre duas grandes classes de Estruturas de Custo: direcionadas pelo custo e direcionadas pelo valor (muitos Modelos de Negócios estão entre os dois extremos):

Direcionadas pelo Custo

Os modelos de negócio direcionados pelo custo se concentram em minimizar o custo sempre que possível. Este método visa criar e manter a estrutura de custo o menor possível, utilizando Propostas de Valor de baixo preço, automação máxima e terceirizações extensivas. Linhas aéreas econômicas, como a Southwest, a easyJet e a Ryanair exemplificam modelos de negócios direcionados pelo custo.

Direcionadas pelo Valor

Algumas empresas estão menos preocupadas com os custos de um Modelo de Negócios, por isso se concentram na criação de valor. Propostas de valor de alto nível de personalização frequentemente caracterizam modelos de negócio direcionados pelo valor. Hotéis de luxo, com seus ambientes extravagantes e serviços exclusivos, estão nesta categoria.

As Estruturas de Custo podem ter as seguintes características:

Custos fixos

Custos que permanecem os mesmos apesar do volume de artigos ou serviços produzidos. Exemplos incluem salários, aluguéis e fábricas. Alguns negócios, como a manufatura, são caracterizados por uma grande proporção de custos fixos.

Custos variáveis

Custos que variam proporcionalmente com o volume de artigos ou serviços produzidos. Alguns negócios, como os festivais de música, são caracterizados por uma grande proporção de custos variáveis.

Economias de escala

Vantagens de custo das quais um negócio tira proveito na medida em que a demanda aumenta. Grandes empresas, por exemplo, se beneficiam de taxas menores na compra por atacado. Este e outros fatores fazem com que o custo médio por unidade se reduza, na medida em que a demanda aumenta.

Economias de escopo

Vantagens de custo das quais um negócio tira proveito devido a um maior escopo de operações. Em uma grande empresa, por exemplo, as mesmas atividades de marketing ou Canais de Distribuição podem dar apoio a múltiplos produtos.

Os nove componentes de um Modelo de Negócios formam a base para uma ferramenta útil, que chamamos de *Canvas de Modelo de Negócios*.

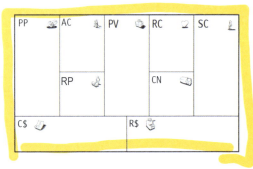

O Canvas de Modelo de Negócios

Esta ferramenta lembra uma tela de pintura – mas pré-formatada com nove blocos – que permite criar imagens de Modelos de Negócios novos ou já existentes.

O Canvas funciona melhor quando impresso em uma grande superfície, para que vários grupos de pessoas possam rascunhar e discutir juntos os seus elementos, com anotações em adesivos (Post-It®) ou marcadores. É uma ferramenta prática e útil que promove entendimento, discussão, criatividade e análise.

O Canvas de Modelo de Negócios

Parcerias Principais	Atividades-Chave	Proposta de Valor	Relacionamento com Clientes	Segmentos de Clientes
	Recursos Principais		Canais	

Estrutura de Custo	Fontes de Receita

① Imprima o Canvas em um pôster

② Coloque o pôster em uma parede

③ Desenhe seu modelo de negócio

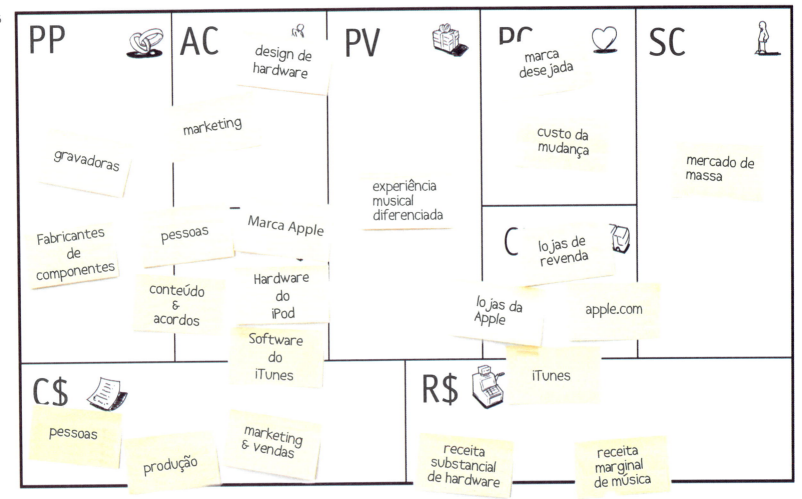

Exemplo: Modelo de Negócios da Apple para iPod e iTunes

Em 2001, a Apple lançou seu icônico iPod. O dispositivo funciona em conjunto com o software iTunes, que permite que usuários transfiram música e outros conteúdos de um computador para o iPod. O software também fornece uma conexão direta com a loja online da Apple, para que usuários possam comprar e baixar conteúdo.

Essa potente combinação de hardware, software e loja online rapidamente movimentou a indústria musical e deu à Apple uma posição dominante no mercado. Ainda assim, a Apple não foi a primeira companhia a levar um tocador de mídia portátil ao mercado. Competidores como a Diamond Multimidia, com a marca Rio de tocadores portáteis, eram bem-sucedidos, até serem ultrapassados pela Apple.

Como a Apple conseguiu isso? Porque tinha um Modelo de Negócios melhor. Por um lado, ofereceu aos usuários uma experiência musical ininterrupta, combinando iPod e iTunes. A Proposta de Valor da Apple é permitir aos clientes procurar, comprar e aproveitar facilmente a música digital. Por outro lado, para tornar a Proposta de Valor possível, a Apple precisou negociar acordos com as maiores gravadoras, para criar a maior biblioteca de música digital do mundo.

A jogada? A Apple obtém a maior parte de sua renda musical com a venda de iPods, enquanto utiliza a integração digital com a loja online para se proteger dos competidores.

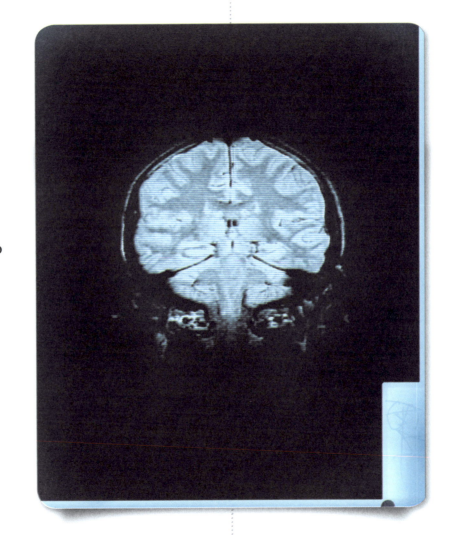

LADO ESQUERDO DO CÉREBRO
lógica

LADO DIREITO DO CÉREBRO
emoção

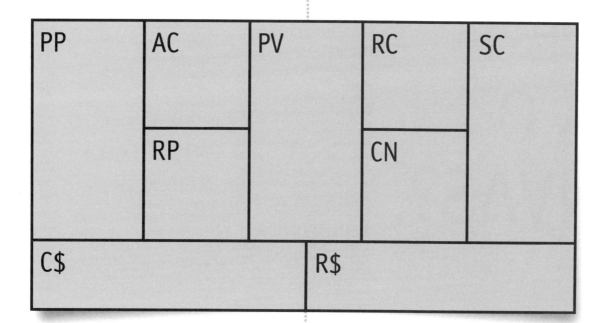

COMO VOCÊ USA O CANVAS?

O setor público é constantemente desafiado a implementar os princípios do setor privado. Eu venho usando o canvas para ajudar um departamento a se visualizar como um negócio voltado para o serviço, **estabelecendo modelos "atuais" e "futuros".** Ele criou todo um novo diálogo na descrição e inovação do negócio.

Mike Lachapelle, Canadá

Eu presto consultoria a muitas pequenas companhias, utilizando o Modelo de Negócios freemium. Com este modelo, entregamos gratuitamente produtos base, o que parece errado para a maioria dos empresários. Graças ao Canvas de Modelo de Negócios, posso **facilmente ilustrar como isso faz sentido financeiro.**

Peter Froberg, Dinamarca

Eu ajudo proprietários de negócios a planejarem a transição e saída da empresa. O sucesso depende de sustentar a viabilidade e o crescimento da empresa. Crucial é um programa de inovação de Modelo de Negócios. O canvas ajuda a identificar e inovar estes Modelos de Negócios.

Nicholas K. Niemann, Estados Unidos

Utilizo o canvas no Brasil para ajudar artistas, produtores culturais e designers de jogos a criar modelos de negócio inovadores na indústria cultural e criativa. Eu o utilizo no MBA de Produção Cultural da FGV e no Laboratório de Inovação de Jogos na Incubadora da COPPE/UFRJ.

Claudio D'Ipolitto, Brasil

Geralmente, quando se pensa em um Modelo de Negócios, a conclusão é que se trate de algo que traga algum lucro. Entretanto, descobri que o canvas também é bastante eficaz no setor sem fins lucrativos. Serve para **PROJETAR + ALINHAR** os membros da equipe de liderança durante a formação de um novo projeto. O canvas é flexível o suficiente para levar em consideração os objetivos desse empreendimento social, e trazer clareza a real Proposta de Valor do negócio e como torná-lo sustentável.

Kevin Donaldson, Estados Unidos

Eu queria ter conhecido o canvas muito antes! Com um projeto diferenciado e de execução complicada na indústria editorial, ele teria sido tão útil para mostrar a **todos os membros tanto o panorama geral quanto o (importante) papel deles ali e as interdependências.** Horas de explicações, argumentos e malentendidos poderiam ter sido evitadas.

Jille Sol, Holanda

Uma amiga íntima estava procurando um novo emprego. **Eu utilizei o canvas para avaliar o Modelo de Negócios dela.** Suas competências principais e Propostas de Valor eram incríveis, mas ela errava na busca por parcerias estratégicas e desenvolvimento apropriado de Relações com Clientes. Ajustamos o seu foco, e isso abriu novas oportunidades.

Daniel Pandza, México

Imagine 60 calouros que não sabem nada de empreendedorismo. Em menos de cinco dias, graças ao canvas, eles já eram capazes de formar uma ideia viável com convicção e clareza. Eles o utilizaram como ferramenta para cobrir todas as dimensões da fundamentação de uma startup.

Guilhem Bertholet, França

Usei o canvas para ensinar empreendedores iniciantes de diversos setores uma maneira muito melhor de

TRADUZIR SEUS PLANOS DE NEGÓCIOS EM PROCESSOS

que eles vão precisar para operar seu negócio e garantir que estejam apropriadamente focados no cliente, de modo a tornar o negócio tão rentável quanto puder ser.

Bob Dunn, Estados Unidos

Eu utilizei o canvas com meu cofundador para **projetar um plano de negócios** em uma competição nacional organizada pelo The Economic Times, na Índia. O canvas nos permitiu pensar em todos os aspectos e formar um planejamento que os VCs considerassem bem pensado e atraente.

Praveen Singh, Índia

Nos pediram para redesenhar o serviço de linguagem de uma ONG internacional. O canvas foi especialmente útil para **demonstrar as conexões entre as necessidades do trabalho cotidiano das pessoas e um serviço** que à primeira vista parecia especializado demais, distante de suas prioridades.

Paola Valeri, Espanha

Eu apoio equipes para criar novos produtos e projetar negócios. O canvas faz um ótimo trabalho me ajudando a

lembrar as equipes de pensar holisticamente em seus negócios e evitar que fiquem presas nos detalhes.

Isso ajuda a tornar seus novos empreendimentos um sucesso.

Christian Schüller, Alemanha

O canvas de Modelo de Negócios me permitiu estabelecer uma linguagem e uma base comum com meus colegas.

Eu o utilizei para explorar novas oportunidades de crescimento, avaliar a utilização de novos modelos de negócios da concorrência e comunicar à minha organização como podíamos acelerar inovações tecnológicas, de mercado e de Modelo de Negócios.

Bruce MacVarish, Estados Unidos

O canvas do Modelo de Negócios ajudou diversas organizações de saúde na Holanda a **fazer a transição de uma instituição governamental direcionada ao orçamento para organizações empreendedoras, de adição de valor.**

Hubb Raemakers, Países Baixos

Eu utilizei o canvas com a gerência de uma empresa pública para ajudá-los a reestruturar sua cadeia de valor, devido a mudanças na regulamentação do setor. O fator-chave para o sucesso foi compreender quais novas Propostas de Valor podiam ser oferecidas aos clientes e então traduzi-las em operações internas.

Leandro Jesus, Brasil

UTILIZAMOS 15 mil POST-ITS E MAIS DE 100 METROS DE PAPEL PARDO

para projetar uma estrutura de organização em uma companhia global de manufatura. A chave de todas as atividades era, entretanto, o canvas. Ele nos convenceu, com toda a sua aplicabilidade, simplicidade e relações lógicas de causa e efeito.

Daniel Egger, Brasil

Eu utilizei o canvas para dar um

CHOQUE DE REALIDADE

na minha startup, Mupps, uma plataforma na qual artistas podem fazer seus próprios aplicativos musicais para telefones iPhone e Android em poucos minutos. Você sabe o que aconteceu? O canvas me deixou ainda mais certo do possível sucesso! Preciso ir, tenho muito trabalho pela frente!

Erwin Blom, Países Baixos

O Canvas de Modelo de Negócios se mostrou uma ferramenta muito útil para capturar ideias e soluções para projetos de e-commerce. A maioria dos meus clientes são PMEs, e o canvas os ajudou a

esclarecer seus atuais Modelos de Negócios e compreender e se concentrar no impacto do e-commerce em suas organizações.

Marc Castricum, Países Baixos

Eu apliquei o canvas para ajudar uma empresa a alinhar sua equipe-chave para determinar objetos compartilhados e prioridades estratégicas, que foram utilizadas durante o processo de planejamento e a incorporação com o BSC. Ela também garantiu que as iniciativas escolhidas fossem claramente direcionadas pelas prioridades estratégicas.

Martin Fanghanel, Bolívia

Pad

rões

"Padrão, na arquitetura, é a ideia de capturar ideias do design arquitetônico como descrições arquetípicas e reutilizáveis."

Christopher Alexander, Arquiteto

Esta seção descreve Modelos de Negócios com características similares, arranjos similares de componentes dos Modelos de Negócios, ou comportamentos similares. Chamamos tais similaridades de padrões de Modelos de Negócios. Os padrões descritos nas páginas seguintes podem ajudar a compreender as dinâmicas do Modelos de Negócios, e servem como fonte de inspiração para o seu próprio trabalho.

Rascunhamos cinco padrões construídos sobre importantes conceitos da literatura da administração. Nós os "traduzimos" para a linguagem do Canvas de Modelo de Negócios, para tornar os conceitos comparáveis, fáceis de entender e aplicáveis. Um único Modelos de Negócios pode incorporar diversos padrões.

Os conceitos nos quais nossos padrões se baseiam incluem Desagregação, Cauda Longa, Plataformas Multilaterais, GRÁTIS e Modelos de Negócios Abertos. Novos padrões baseados em outros conceitos de negócios certamente vão surgir com o tempo.

Nosso objetivo ao definir e descrever os padrões de Modelos de Negócios é reposicionar conceitos já bem conhecidos em um formato padronizado – o Canvas – de modo que sejam úteis em seu próprio trabalho no design e na invenção de modelos de negócios.

Padrões

56 Modelos de Negócios Desagregados

66 A Cauda Longa

76 Plataformas Multilateriais

88 GRÁTIS como Modelo de Negócios

108 Modelos de Negócios Abertos

Modelos de Negócios Desagregados

Definição_Padrão nº 1

O conceito de corporação "desagregada" declara que há três tipos fundamentalmente diferentes de negócios: negócios de relacionamento com os clientes, negócios de inovação de produto e negócios de infraestrutura. Cada tipo tem seus imperativos econômicos, competitivos e culturais. Os três podem coexistir dentro de uma única corporação, mas, idealmente, são "desagregados" em entidades separadas para evitar conflitos e compensações indesejadas.

[RE-FE-RÊN-CIAS]

1 • "Unbundling the Corporation." *Harvard Business Review*. Hagel, John, Singer, Marc. Março – Abril 1999.
2 • *The Discipline of Market Leaders: Choose Your Customers, Narrow Your Focus, Dominate Your Market.* Treacy, Michael, Wiersema, Fred. 1995.

[E-XEM-PLOS]

Empresas de telefonia móvel, private banking

Agregado

1 John Hagel e Marc Singer, que cunharam o termo "corporação desagregada", acreditam que empresas são compostas por três tipos bem diferentes de negócios, com imperativos econômicos, competitivos e culturais diferentes: relacionamento com clientes, inovação de produto e infraestrutura. Similarmente, Treacy e Wiersema sugerem que as empresas devem se concentrar em uma de três disciplinas de valor: excelência operacional, liderança do produto ou intimidade com o cliente.

2 Hagel e Singer descrevem o papel do relacionamento com clientes como a descoberta e aquisição de clientes e a construção de um relacionamento com eles. Da mesma forma, o papel da inovação de produto seria desenvolver produtos e serviços novos e atraentes, enquanto o papel dos negócios de infraestrutura seria construir e gerenciar plataformas para tarefas repetitivas e de alto volume. Hagel e Singer argumentam que as companhias devem separar os negócios e se concentrar em apenas um dos três, internamente, já que cada tipo é guiado por fatores diferentes e podem entrar em conflito uns com os outros ou produzir perdas indesejadas dentro da mesma organização.

3 Nas páginas seguintes, mostramos como a ideia de desagregação se aplica aos Modelos de Negócios. No primeiro exemplo, descrevemos o conflito e as perdas indesejadas criadas por um Modelos de Negócios "agregado" dentro do ramo de private banking. No segundo exemplo mostramos como as operadoras de telefonia móvel estão se desagregando e se concentrando em novos núcleos.

Desagregando

Desagregado

TRÊS TIPOS BÁSICOS DE NEGÓCIOS

	Inovação de Produto	Gestão do Relacionamento com Clientes	Gerenciamento de Infraestrutura
Aspectos Econômicos	A entrada antecipada no mercado permite cobrar preços de primeira linha e adquirir grande fatia do mercado; a velocidade é crucial	Os altos custos para atrair clientes tornam imperativo fazer muito lucro; o escopo econômico é crucial	Altos custos fixos tornam a produção de grandes volumes essencial para a obtenção de baixos custos unitários; a economia de escala é crucial
Aspectos Culturais	Luta por talento; barreiras baixas de entrada; muitos jogadores pequenos prosperam	Luta por escopo; consolidação rápida; poucos jogadores grandes dominam	Luta por escala; consolidação rápida; um reduzido número de jogadores grandes dominam
Aspectos Competitivos	Centrada no funcionário; mimando as estrelas criativas	Altamente orientada ao serviço; mentalidade de "cliente em primeiro lugar"	Focada no custo; reforça a padronização, previsibilidade e eficiência

Fonte: Hagel e Singer, 1999.

Private Banking: Três Negócios em Um

A indústria de bancos suíços, um negócio para os muito ricos, é conhecida como uma indústria sonolenta e conservadora. Ainda assim, nas últimas décadas, a face da indústria suíça de bancos privados mudou consideravelmente. Tradicionalmente, essas instituições bancárias eram integradas verticalmente e executavam tarefas desde o gerenciamento de riquezas até a corretagem e o desenvolvimento de produtos financeiros. Havia fortes motivos para a firme integração vertical. A terceirização era cara e os bancos privados prefeririam manter tudo "em casa", dadas as questões de segredo e confidencialidade.

Mas o ambiente mudou. O segredo se tornou uma questão menor, com o fim da mística em torno das práticas bancárias suíças, e a terceirização passou a ser atraente, com o fracionamento da cadeia de valor bancário, dado o surgimento de fornecedores de serviços especializados como os bancos de transação e as boutiques de produtos financeiros. O antigo foco era voltado especificamente em lidar com transações bancárias, enquanto o novo se concentra apenas no planejamento e na execução de novos produtos financeiros. O Maerki Baumann, com base em Zurique, é exemplo de um banco que desagregou seu Modelo de Negócio. Ele separou seu negócio de plataforma orientada à transação criando uma entidade separada, chamada Incore Bank, que oferece serviços bancários para outros bancos e outras seguradoras. A Maerki Baumann agora se concentra apenas no relacionamento com o cliente e na consultoria.

Por outro lado, o Pictet, maior banco privado suíço, com base em Genebra, preferiu se manter integrado. Essa instituição de 200 anos se baseia em profundos relacionamentos com seus clientes, lidando com as transações de muitos deles, e projeta seus próprios produtos financeiros. Embora o banco tenha tido sucesso, precisa gerenciar cuidadosamente a eventual competição entre três tipos fundamentalmente diferentes de negócios.

A figura oposta descreve o modelo tradicional de private banking, e suas compensações, e a desagrega em três negócios básicos: gestão de relacionamentos, inovação de produtos e gerenciamento de infraestrutura.

Dilemas Estratégicos

① O banco serve a dois mercados distintos com dinâmicas muito diferentes. Aconselhar o rico é um negócio de longo prazo baseado no relacionamento. Vender produtos financeiros a bancos privados é um negócio dinâmico e de mudanças rápidas.

② O banco visa vender produtos à concorrência para aumentar a renda – mas isso gera conflitos de interesses.

③ A divisão de produtos pressiona os assessores a venderem os próprios produtos do banco aos clientes. Isto entra em conflito com o interesse do cliente em receber aconselhamento neutro. O cliente quer investir no melhor produto do mercado, independentemente da origem.

④ O negócio de plataforma de transações com foco no custo e na eficiência entra em conflito com o negócio de alta renda e produtos financeiros, cuja mão de obra é cara.

⑤ A plataforma de transação exige escala para reduzir os custos, o que é difícil de obter dentro de um único banco.

⑥ A inovação de produtos é direcionada pela velocidade e pela rápida inserção no mercado, o que entra em conflito com o negócio de relacionamento de longo prazo e aconselhamento de fortunas.

O Modelo de Banco Privado

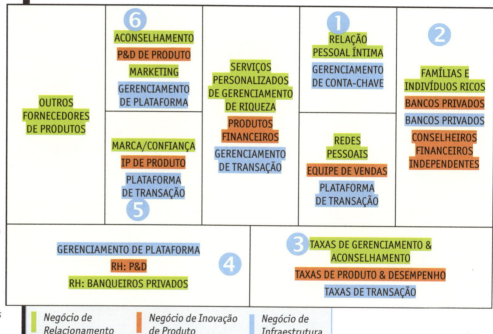

Desagregando a Telecomunicação Móvel

As empresas de telecomunicação móvel começaram a desagregar seus negócios. Tradicionalmente, elas competiam em qualidade de rede, mas agora fecham acordos de compartilhamento com competidores e terceirizam operações conjuntas com fabricantes de equipamentos. Por quê? Porque perceberam que seu recurso principal não é mais a rede – são a sua marca e o relacionamento com os clientes.

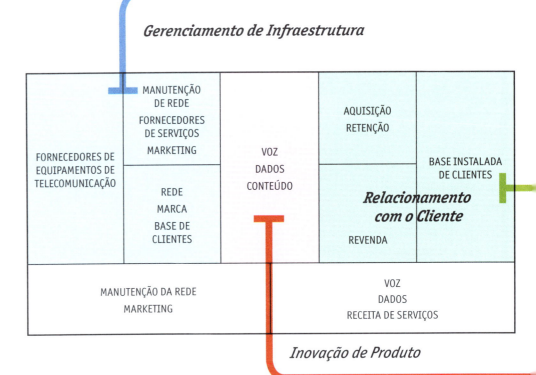

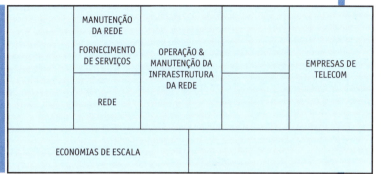

Fabricantes de Equipamento

Empresas de telecomunicações como a France Telecom, a KPN e a Vodafone têm terceirizado as operações e a manutenção de algumas de suas redes com fabricantes de equipamentos como a Nokia Siemens Networks, Alcatel-Lucent e a Ericsson. Os fabricantes de equipamentos podem manter redes a custos menores, pois servem a diversas empresas de telecomunicações ao mesmo tempo e assim se beneficiam das economias de escala.

Telecomunicação Desagregada

Após desagregar seu negócio na infraestrutura, uma empresa de telecomunicações pode pôr o foco na marca e na segmentação de clientes e serviços. O relacionamento com o cliente forma o recurso-chave e a base do negócio. Concentrando-se nos clientes e aumentando a fatia de assinaturas, a empresa pode alavancar investimentos feitos ao longo dos anos, adquirindo e mantendo clientes. Uma das primeiras empresas de telecomunicação móvel a perseguir a desagregação estratégica foi a Bharti Airtel, agora uma das principais da Índia. Ela terceirizou as operações de rede com a Ericsson e a Nokia Siemens Networks, e a infraestrutura de TI com a IBM, permitindo que a companhia se concentrasse em sua principal competência: construir Relacionamento com o Cliente.

Fornecedores de Conteúdo

Para a inovação de produtos e serviços, a empresa de telecomunicação desagregada pode procurar empresas criativas menores. A inovação exige talento criativo, e as organizações menores e mais dinâmicas costumam fazer um trabalho melhor nessa área. As empresas de telecomunicação trabalham com diversas terceirizadas que garantem um fornecimento constante de novas tecnologias, de serviços, e conteúdo de mídia, como mapeamento, jogos, vídeo e música. Dois exemplos são a Mobilizy da Áustria e a SUECA TAT. A Mobilizy se concentra em soluções de serviços de localização para smartphones (ela desenvolveu um popular guia de viagens para celulares), a tat se concentra na criação de interfaces avançadas para o usuário desses telefones.

Padrões Desagregados x3

Produto e inovação de serviços TERCEIRIZADOS.

Os ATIVOS e RECURSOS PRINCIPAIS são a base de clientes e a confiança adquirida pelo assinante com o tempo.

A conquista e a retenção de clientes compõem o CUSTO principal, que inclui os de marca e marketing.

Tudo neste modelo é feito sob medida para entender e servir os clientes, construindo um forte relacionamento com eles.

Este modelo visa gerar receitas com uma vasta gama de produtos, construída sobre a confiança do cliente – o objetivo é obter cada vez mais da conta.

PP	AC	PV	RC	SC
Produto + Inovação do Serviço	Conquista + Retenção de Clientes	Altamente orientada ao serviço	Forte relação, conquista + retenção	Foco no cliente
	RP		CN	
	Gerenciamento de Infraestrutura / Base de Clientes		Canais fortes	

C$	R$
Alto custo de aquisição de clientes	Grande fatia de contas

A **ATIVIDADE** está focada em alavancar a pesquisa e o desenvolvimento para levar novos produtos e serviços ao mercado.

Os produtos e serviços podem chegar ao mercado diretamente, mas geralmente são entregues por intermediários B2B focados no **RELACIONAMENTO COM CLIENTES**.

As **ATIVIDADES** e ofertas estão voltadas para a completa realização dos serviços de infraestrutura.

Serviços são geralmente entregues para **CLIENTES EMPRESARIAIS**.

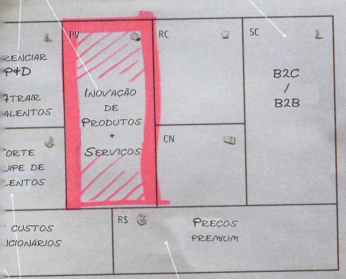

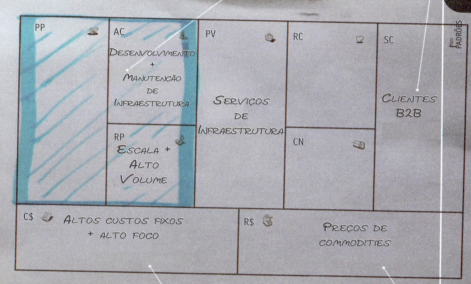

O alto **CUSTO** base que se deve à batalha por talentos criativos, os **RECURSOS PRINCIPAIS** deste modelo.

A **COBRANÇA DE PREÇOS PREMIUM** é possível graças ao fator novidade.

A plataforma é caracterizada por **ALTOS CUSTOS FIXOS**, alavancados por escala, e por grandes volumes.

A **RECEITA** é baseada em baixas margens e alto volume.

MODELOS DE NEGÓCIOS DESAGREGADOS

65

PADRÕES

A Cauda Longa

Definição_Padrão nº 2

O MODELO DE NEGÓCIOS DE CAUDA LONGA trata de vender menos de mais: concentra-se em oferecer um grande número de produtos de nicho, cada um deles com vendas relativamente infrequentes. Agregar vendas de nicho assim pode ser tão lucrativo quanto o modelo tradicional, onde um pequeno número de *best-sellers* forma a maior parte da receita. Modelos de negócios de cauda longa requerem baixo custo de estoque e plataformas robustas para disponibilizar prontamente conteúdo segmentado para os compradores interessados.

[RE-FE-RÊN-CIAS]
1 • *The Long Tail: Why the Future of Business Is Selling Less of More.* Anderson, Chris. 2006.
2 • *"The Long Tail." Wired Magazine.* Anderson, Chris. Outubro 2004.

[E-XEM-PLOS]
Netflix, eBay, YouTube, Facebook, Lulu.com

Vol. Vendas

TOP 20%
Foco em um pequeno número de produtos, cada um dos quais vende grandes quantidades

O conceito da Cauda Longa foi cunhado por Chris Anderson para descrever uma mudança de paradigma na mídia, da venda de um pequeno número de sucessos em grande quantidade para a venda de um grande número de itens segmentados, cada um saindo em quantidades relativamente pequenas. Anderson descreveu como muitas vendas infrequentes podem produzir receita agregada equivalente ou até mesmo maior que aquela produzida pelo foco nos produtos de sucesso.

Anderson acredita que três estímulos econômicos fizeram crescer o fenômeno na indústria da mídia:

1. Democratização das ferramentas de produção: a queda nos custos da tecnologia deu aos indivíduos maior acesso às ferramentas que eram proibitivamente caras alguns anos antes. Milhões de amadores agora podem gravar músicas, produzir curtas e projetar softwares simples, tudo com resultados profissionais.

2. Democratização da distribuição: a Internet transformou a distribuição de conteúdo digital em commodity, reduzindo drasticamente os custos de inventário, comunicação e transação e abrindo novos mercados para produtos de nicho.

3. Queda nos custos de conexão entre oferta e demanda: o verdadeiro desafio da venda de conteúdo para nichos é encontrar compradores potenciais interessados. Poderosas ferramentas de busca e recomendação, avaliações de usuários e comunidades de interesse tornaram isto muito mais fácil.

A CAUDA LONGA se concentra em um número maior de produtos, cada um deles vendendo em menores quantidades.

A pesquisa de Anderson se concentra, primariamente, na indústria da mídia. Por exemplo, ele demonstrou como a companhia de aluguel de vídeo online Netflix se moveu em direção ao licenciamento de um grande número de filmes cult. Embora cada um desses filmes seja alugado com relativa infrequência, a renda agregada do vasto catálogo da Netflix rivaliza com os *blockbusters*.

Mas Anderson demonstra que o conceito de Cauda Longa se aplica também fora da indústria da mídia.

O sucesso do site de leilões eBay se baseia no enorme exército de participantes vendendo e comprando pequenas quantidades de itens que não são exatamente de "sucesso".

A Transformação da Indústria Editorial

Modelo Antigo

Todos já ouvimos falar de aspirantes a escritor que digitam e enviam seus manuscritos para editoras na esperança de ver seu trabalho impresso – e encaram constantes rejeições. Essa imagem estereotipada das editoras e autores é bem verdadeira. O modelo tradicional está construído sobre um processo de seleção, durante o qual editores peneiram muitos autores e manuscritos até selecionar aqueles que, mais provavelmente, atingirão a cota mínima de vendas. Autores menos promissores e seus títulos são rejeitados, pois não seria lucrativo editar, editorar, imprimir e promover livros que vendam mal. As editoras estão interessadas em livros que possam imprimir em grande quantidade e ser vendidos a grandes públicos.

	AQUISIÇÃO DE CONTEÚDO EDITORAÇÃO VENDAS	CONTEÚDO AMPLO (IDEALMENTE 'SUCESSOS')		PÚBLICO AMPLO
–	PUBLICAÇÃO DE CONHECIMENTO CONTEÚDO		REDE DE VAREJO	
PUBLICAÇÃO/MARKETING		RECEITA DO VAREJO		

Um Novo Modelo

A Lulu.com radicalizou o tradicional modelo de publicação, centrado no best-seller, permitindo a qualquer um publicar o seu livro. O modelo de negócios da Lulu.com se baseia em ajudar autores cult e amadores a levar seus trabalhos ao mercado. Ele elimina as tradicionais barreiras de entrada, oferecendo aos autores as ferramentas para produzir, imprimir e distribuir seu trabalho em um mercado online. Isso contrasta com o modelo tradicional de seleção de trabalhos "dignos do mercado". De fato, quanto mais autores a Lulu.com atrai, mais sucesso ela tem, pois os autores se tornam clientes. Em resumo, a Lulu.com é uma plataforma multilateral (veja a pág. 76) que serve e conecta autores e leitores com uma Cauda Longa de conteúdo segmentado, gerado por usuários. Milhares de autores utilizam as ferramentas da Lulu.com para publicar e vender. Funciona porque os livros são impressos apenas em resposta a pedidos. O fracasso nas vendas de um título em particular é irrelevante para a Lulu.com, pois não implica quaisquer custos.

	DESENVOLVIMENTO DE PLATAFORMA LOGÍSTICA	SERVIÇOS DE AUTOPUBLICAÇÃO MERCADO PARA CONTEÚDO DE NICHO	COMUNIDADES DE INTERESSE PERFIL ONLINE	AUTORES DE NICHO AUDIÊNCIA DE NICHO
	PLATAFORMA INFRAESTRUTURA DE IMPRESSÃO SOB DEMANDA		LULU.COM	
GERENCIAMENTO & DESENVOLVIMENTO DE PLATAFORMA		COMISSÃO DE VENDAS (BAIXA) TAXAS DO SERVIÇO DE PUBLICAÇÃO		

A Nova Cauda Longa da LEGO®

A companhia dinamarquesa LEGO começou a fabricar seus famosos blocos de montagem em 1949. Gerações de crianças cresceram com eles e a LEGO lança milhares de kits, com uma variedade de temas incluindo: estações espaciais, piratas e Idade Média. Mas, com o tempo, a intensa competitividade na indústria de brinquedos forçou a LEGO a buscar caminhos inovadores para crescer. Ela começou a licenciar direitos para utilizar personagens de filmes de sucesso, como os de *Guerra nas Estrelas*, *Batman* e *Indiana Jones*. Embora tais licenças sejam caras, elas se provaram fontes de receita impressionantes.

Em 2005, a LEGO começou a experimentar com conteúdo gerado pelos usuários. Ela apresentou a LEGO Factory, que permite aos clientes montarem seus próprios kits LEGO e comprá-los online. Utilizando um software chamado LEGO Digital Designer, os clientes podem inventar e projetar seus próprios prédios, veículos, temas e personagens, escolhendo entre milhares de componentes e dúzias de cores. Podem projetar até mesmo a caixa contendo o kit personalizado. Com a LEGO Factory, a LEGO transformou usuários passivos em participantes ativos da experiência de desenvolvimento da empresa.

Isso exigiu transformações na cadeia de fornecimento e, devido aos baixos volumes, a LEGO ainda não se adaptou totalmente ao novo modelo da LEGO Factory. Ela apenas adequou os recursos e as atividades existentes.

Em termos de modelo de negócios, entretanto, a LEGO deu um passo além da personalização em massa, entrando no território da Cauda Longa. Além de ajudar usuários a projetarem seus próprios conjuntos, a LEGO Factory agora também vende conjuntos desenvolvidos por usuários. Alguns vendem bem, outros vendem mal ou sequer vendem. O que importa para a LEGO é que os conjuntos projetados pelos usuários expandam uma linha previamente focada em um número limitado de kits. Atualmente, este aspecto dos negócios da LEGO consiste em apenas uma pequena porção da renda total, mas é um passo em direção à implementação de um modelo de Cauda Longa como complemento – ou até mesmo alternativa – ao tradicional.

LEGO

+

Usuários da LEGO podem fazer seus próprios modelos e solicitá-los online

=

LEGO Factory

+

A LEGO permite aos usuários postarem e venderem seus modelos online

=

Catálogo LEGO por usuários

LEGO Factory: Kits Desenvolvidos pelos Clientes

PP	AC	PV	RC	SC
Clientes que constroem novos modelos e postam online se tornam parceiros principais, gerando conteúdo e valor	A LEGO precisou fornecer e gerenciar a plataforma e a logística que permitem o empacotamento e a entrega de conjuntos LEGO gerados pelo usuário	A LEGO Factory expande substancialmente o escopo das ofertas de kits, dando ao fãs da LEGO ferramentas para construir, demonstrar e vender seus próprios kits personalizados	A LEGO Factory constrói uma comunidade de Cauda Longa incluindo os clientes que estão realmente interessados nos conteúdo de nicho e querem ir além dos kits de prateleira	Milhares de novos kits personalizados complementam os conjuntos padrão. A LEGO Factory conecta clientes que criam modelos personalizados com outros clientes, se tornando assim uma plataforma que reúne clientes e aumenta as vendas.
	RP A LEGO ainda não adaptou totalmente seus recursos e suas atividades, que ainda são otimizados para o mercado de massa		**CN** A existência da LEGO Factory depende fortemente da Web	

C$	R$
A LEGO Factory alavanca os custos de produção e logística já embutidos no modelo tradicional de varejo	A LEGO Factory visa gerar pequena receita a partir de um grande número de itens projetados por clientes. Isso representa uma adição valiosa à tradicional receita de altos volumes do varejo.

Padrão de Cauda Longa

Fornecedores de conteúdo segmentados (profissionais e/ou gerados pelo usuário) são as PARCERIAS PRINCIPAIS deste padrão.

A PROPOSTA DE VALOR do modelo de negócios de Cauda Longa é caracterizada pela oferta de uma vasta gama de itens que não são "de sucesso" e que podem coexistir com produtos "de sucesso". Os modelos de negócios de Cauda Longa podem também facilitar a construção de conteúdo gerado pelo usuário.

Os modelos de negócios de Cauda Longa se concentram em CLIENTES de nicho.

Um modelo de negócios de Cauda Longa serve a produtores de conteúdo, tanto profissionais quanto amadores, e pode gerar uma plataforma multilateral (veja a pág. 76), buscando tanto usuários quanto produtores.

O RECURSO PRINCIPAL é a plataforma; as ATIVIDADES-CHAVE incluem o desenvolvimento e a manutenção da plataforma e a aquisição e produção de conteúdo de nicho.

PP	AC	PV	RC	SC
Fornecedores de Conteúdo de Nicho	Gerenciamento da Plataforma Provisão do Serviço Promoção da Plataforma	Grande escopo de conteúdo de nicho		Muitos Segmentos de Nicho
Conteúdo Gerado pelo Usuário	RP Plataforma	Ferramentas de Produção de Conteúdo	CN Internet	Fornecedores de Conteúdo de Nicho

C$ Gerenciamento + Desenvolvimento da Plataforma	R$ Vender menos de MAIS

Os principais CUSTOS envolvidos cobrem o desenvolvimento e a manutenção da plataforma.

Este modelo é baseado na agregação de várias receitas a partir de um grande número de itens. As FONTES DE RECEITA variam; podem vir da publicidade, da venda de produtos ou de assinaturas.

Modelos de negócios de Cauda Longa muitas vezes dependem da Internet como canal de RELACIONAMENTO COM O CLIENTE e/ou TRANSAÇÃO.

Plataformas Multilaterais

Definição_Padrão Nº 3

PLATAFORMAS MULTILATERAIS unem dois ou mais grupos distintos, porém interdependentes, de clientes. ● São de valor para um grupo de clientes *apenas* se os outros grupos também estiverem presentes. ●A plataforma cria valor *facilitando a interação* entre diferentes grupos. ●Uma plataforma multilateral cresce na medida em que atrai mais usuários, um fenômeno conhecido como *efeito rede*.

[RE-FE-RÊN-CIAS]

1 ● "Strategies for Two-Sided Markets." *Harvard Business Review*. Eisenmann, Parker, Van Alstyne. Outubro 2006.

2 ● *Invisible Engines: How Software Plataforms Drive Innovation and Transform Industries.* Evans, Hagiu, Schmalensee. 2006.

3 ● "Managing the Maze of Multisided Markets." *Strategy & Business.* Evans, David. Outono de 2003.

[E-XEM-PLOS]

Visa, Google, eBay, Microsoft Windows, *Financial Times*

As plataformas multilaterais, conhecidas pelos economistas como mercados multilaterais, são fenômenos importantes para o mundo dos negócios. Elas existem há muito tempo, mas proliferaram com o crescimento da tecnologia da informação. Os cartões de crédito Visa, o Microsoft Windows, o Financial Times, o Google, o Wii e o Facebook são apenas alguns exemplos de plataformas multilaterais de muito sucesso. São mencionadas aqui porque representam um padrão de modelo de negócios cada vez mais importante.

O que exatamente são plataformas multilaterais? São plataformas que unem dois ou mais grupos distintos e interdependentes de consumidores. Elas criam valor como intermediárias, conectando esses grupos. Cartões de crédito, por exemplo, ligam comerciantes aos portadores do cartão; sistemas operacionais ligam os fabricantes de hardware, desenvolvedores de aplicativos e usuários; jornais ligam leitores e anunciantes; consoles de videogame ligam desenvolvedores e jogadores. A chave é que a plataforma precisa atrair e atender a todos os grupos simultaneamente para criar valor. O valor da plataforma para determinado grupo de usuários depende substancialmente do número de usuários nos "outros lados" da plataforma. Um videogame só atrairá compradores se houver jogos suficientes disponíveis. Por outro lado, os desenvolvedores trabalharão em jogos para um novo console apenas se um número substancial de jogadores já o possuir. Por isso, as plataformas multilaterais frequentemente encaram um dilema no estilo "o ovo e a galinha".

Uma maneira de resolver o problema é subsidiar um Segmento de Cliente. Embora o operador de uma plataforma tenha custos para atender a todos os grupos de clientes, ele frequentemente opta por atrair um segmento para um lado da plataforma com uma Proposta de Valor barata ou gratuita, para então, subsequentemente, atrair usuários para os outros "lados". Uma dificuldade encarada pelo operador de plataforma multilateral é compreender qual lado subsidiar e como cobrar corretamente para atrair clientes.

Segmentos ≥ a 2

Segmento de Cliente A

Um exemplo é o Metro, um jornal gratuito diário que surgiu em Estocolmo e hoje é encontrado em muitas grandes cidades. Ele foi lançado em 1995, e imediatamente atraiu muitos leitores, porque era distribuído sem custos em estações de trem e ônibus por toda Estocolmo. Isso permitiu atrair anunciantes, e rapidamente ficou rentável. Outro exemplo é a Microsoft, que ofereceu seu kit de desenvolvimento (SDK) do Windows gratuitamente para encorajar o desenvolvimento de novos aplicativos para o sistema operacional. O grande número de aplicativos atraiu mais usuários à plataforma Windows e aumentou a receita da Microsoft. O Playstation 3, da Sony, por outro lado, é um exemplo de estratégia de plataforma multilateral que saiu pela culatra. A Sony subsidiou a compra de cada console na esperança de, mais tarde, coletar royalties com jogos. A estratégia teve um desempenho fraco, pois menos jogos de Playstation 3 foram vendidos do que a Sony havia estimado.

Os operadores de plataformas multilaterais devem se fazer diversas perguntas cruciais: podemos atrair um número suficiente de clientes para cada lado da plataforma? Qual dos lados se preocupa mais com o preço? Este lado pode ser atraído por uma oferta de subsídio? O outro lado gerará renda suficiente para cobrir esses subsídios?

As páginas seguintes apresentam três exemplos de plataformas multilaterais. Primeiro, rascunhamos o modelo de negócios do Google. Então, mostramos como Nintendo, Sony e Microsoft competem com padrões de plataforma multilateral sutilmente diferentes. Finalmente, descrevemos como a Apple lentamente evoluiu para uma operadora de uma poderosa plataforma multilateral.

Modelo de Negócios do Google

No coração do modelo de negócios do Google está sua Proposta de Valor: fornecer globalmente anúncios de texto extremamente segmentados. Através de um serviço chamado AdWords, anunciantes podem publicar anúncios e links patrocinados nas páginas de busca do Google (e em redes de conteúdo afiliadas, como veremos em breve). Os anúncios são apresentados junto aos resultados quando as pessoas utilizam o mecanismo de busca do Google. A empresa garante que apenas anúncios relevantes aos termos da busca sejam apresentados. O serviço atrai anunciantes porque permite a eles direcionar campanhas online a buscas específicas e grupos demográficos específicos. O modelo só funciona, entretanto, se muitas pessoas utilizarem a busca. Quanto mais pessoas o Google alcançar mais anúncios pode apresentar e maior será o valor criado para os anunciantes.

A Proposta de Valor do Google para os anunciantes depende muito do número de clientes que atrai. Assim, o Google atrai um segundo grupo de clientes, os usuários, com uma poderosa ferramenta de busca e um número crescente de ferramentas secundárias, como o Gmail, o Google Maps e o Picasa, entre outros. Para ampliar ainda mais seu alcance, o Google projetou um terceiro serviço, que permite que seus anúncios sejam mostrados em outros sites, fora do Google. O serviço, chamado de AdSense, permite a terceiros ganhar uma porção da receita de anúncios exibindo propagandas do Google em seus próprios sites. O AdSense automaticamente analisa o conteúdo de um site participante e apresenta anúncios de texto e imagem relevantes. A proposta de valor para este terceiro grupo de clientes ou segmento, os proprietários de sites, é habilitá-los a ganhar dinheiro com o seu conteúdo.

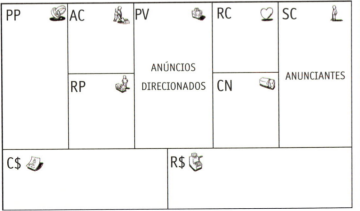

O Google oferece Propostas de Valor distintas para três Segmentos de Cliente interdependentes.

Como plataforma multilateral, o Google tem um modelo de receita bem distinto. Ele ganha dinheiro com um segmento, os anunciantes, enquanto subsidia ofertas gratuitas para dois outros: navegadores e proprietários de conteúdo. Isso é lógico porque, quanto mais anúncios ele apresenta aos navegadores, mais ganha dos anunciantes. O aumento nos ganhos de publicidade, por sua vez, motiva ainda mais os proprietários de conteúdo a se tornarem parceiros do AdSense. O espaço de anúncio não é adquirido diretamente do Google. Os anunciantes concorrem por palavras-chaves associadas a termos de busca ou ao conteúdo do web site de terceiros. A concorrência acontece através de um serviço de leilão: quanto mais popular uma palavra-chave, mais caro um anunciante paga por ela. A receita substancial que o Google recebe do AdWords permite melhorar continuamente suas ofertas gratuitas aos usuários da ferramenta de busca e do AdSense.

O Recurso Principal do Google é sua plataforma de busca, que executa três serviços diferentes: busca na web (Google.com), anúncios (AdWords) e rendimento através do conteúdo de terceiros (AdSense). Esses serviços são baseados em algoritmos de busca e combinação altamente complexos, apoiados por uma extensiva infraestrutura de TI. As três atividades-chave do Google podem ser definidas das seguintes formas: (1) construir e manter a infraestrutura de busca, (2) gerenciar os três serviços principais e (3) promover a plataforma para novos usuários, proprietários de conteúdo e anunciantes.

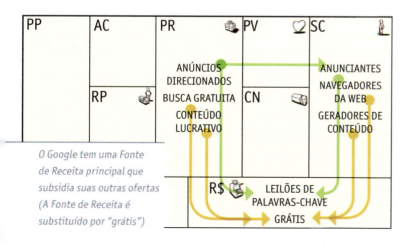

O Google tem uma Fonte de Receita principal que subsidia suas outras ofertas (A Fonte de Receita é substituído por "grátis")

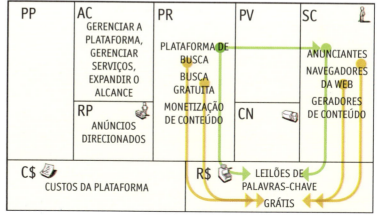

Wii versus PSP/Xbox Mesmo Modelo, Focos Diferentes

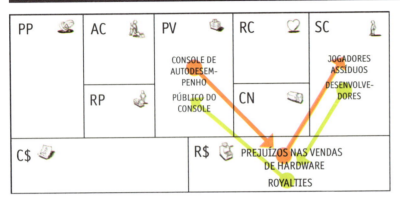

A Sony e a Microsoft dominavam o mercado de consoles até o Nintendo Wii varrer o setor com um novo método tecnológico e um modelo de negócio surpreendentemente diferente. Antes de lançar o Wii, a Nintendo estava em decadência, perdendo muito rápido sua fatia do mercado e se aproximando da falência. O Wii mudou tudo e catapultou a empresa para a posição de líder do mercado.

Tradicionalmente, os fabricantes de consoles querem os jogadores ávidos e competem no desempenho e preço do console. Para esse público de jogadores "hardcore", a qualidade gráfica e de jogo e a velocidade do processador são os principais critérios de seleção. Como consequência, os fabricantes desenvolveram consoles extremamente sofisticados e caros e os venderam, com prejuízo, por anos, subsidiando o hardware com duas outras fontes de receita.

Primeiro, eles desenvolveram e venderam seus próprios jogos para seus próprios consoles. Segundo, ganharam royalties de desenvolvedores que pagam pelo direito de criar jogos para consoles específicos. Esse é o típico padrão de modelo de negócios de plataforma dupla: um lado, o cliente, é altamente subsidiado para levar quantos consoles for possível ao mercado. O dinheiro é então ganho do outro lado da plataforma: desenvolvedores de jogos.

Foco PSP/Xbox

Os consoles de videogame, atualmente um negócio de bilhões de dólares, são bons exemplos de plataformas multilaterais. De um lado, um fabricante de consoles precisa conseguir quantos jogadores for possível para atrair os desenvolvedores de jogos. Por outro lado, os jogadores só compram o hardware se houver um número suficiente de jogos interessantes para aquele console. Na indústria de jogos, isso leva a uma dura batalha entre os três principais competidores e seus respectivos dispositivos: Sony Playstation, Microsoft Xbox e Nintendo Wii. Os três estão baseados em plataformas de dois lados, mas há diferenças substanciais entre o modelo de negócio da Sony e da Microsoft e o método da Nintendo, demonstrando que não há solução "comprovada" para nenhum mercado.

Mesmo padrão, mas diferente modelo de negócios: Nintendo Wii

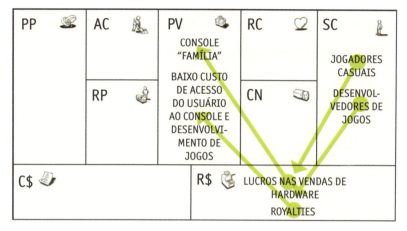

Foco do Wii

O Nintendo Wii mudou tudo. Como a concorrência, o Wii está baseado em uma plataforma de dois lados, mas com elementos substancialmente diferentes. A Nintendo direcionou seu console ao enorme público de jogadores casuais e não ao mercado "tradicional" de jogadores ávidos. Ele ganhou o coração desses jogadores casuais com máquinas relativamente baratas equipadas com um controle remoto especial que permitia controlar ações com gestos físicos. A novidade dos jogos controlados por movimento, como Wii Sports, Wii Music e Wii Fit, atraiu um enorme número de jogadores fora do público normal dos videogames. Esse diferencial é também a base para o novo tipo de plataforma de dois lados criado pela Nintendo.

Sony e Microsoft competem com tecnologia cara, proprietária e de ponta, direcionada para jogadores ávidos e subsidiada de modo a ganhar mercado e manter acessível o preço do hardware. A Nintendo, por outro lado, se concentrou em um segmento menos sensível ao desempenho tecnológico. Atraiu os clientes com o "fator diversão". Sua inovação tecnológica era muito mais barata se comparada com placas novas e mais potentes. Assim, o Nintendo Wii é mais barato de fabricar, permitindo à empresa evitar subsídios na comercialização. Esta é a principal diferença entre a Nintendo e suas rivais: a Nintendo ganha dinheiro de ambos os lados de sua plataforma. Ela gera lucros com cada console vendido e embolsa royalties dos desenvolvedores.

Para resumir, três fatores interrelacionados do modelo de negócios explicam o sucesso comercial do Wii: (1) diferenciação de baixo custo do produto (e o controle por movimentos), (2) foco em um mercado novo e antes ignorado que se importa pouco com a tecnologia (jogadores casuais) e (3) um padrão de plataforma que gera renda dos dois "lados" do Wii. Todos os três representam uma ruptura clara nas tradições passadas do setor.

A Evolução da Apple em uma Operadora de Plataforma

A evolução na linha de produtos da Apple do iPod para o iPhone destaca a transição da empresa para um poderoso padrão de modelo de negócios de plataforma multilateral. O iPod era inicialmente um dispositivo independente. O iPhone, pelo contrário, evoluiu para uma poderosa plataforma multilateral, para a qual a Apple controla aplicativos de terceiros em sua App Store, loja online de aplicativos para o telefone.

iPod	*Mudança para modelo de negócios de plataforma multilateral*	iPod & iTunes	*Consolidação do modelo de negócios de plataforma*	iPhone & Appstore
2001		2003		2008

A Apple apresentou o iPod em 2001 como um produto independente. Os usuários podiam copiar seus CDs e suas músicas baixadas da internet para o dispositivo. O iPod era uma plataforma tecnológica para armazenar músicas de várias fontes. Naquele ponto, entretanto, a Apple não explorava o aspecto de plataforma do iPod.

Em 2003, a Apple apresentou a iTunes Music Store, intimamente integrada ao iPod. A loja permitia aos usuários comprar e baixar música digital de uma maneira extremamente conveniente. Foi a primeira tentativa da Apple para explorar o efeito de plataforma. O iTunes essencialmente conectava os "proprietários dos direitos da música" diretamente aos compradores. A estratégia catapultou a Apple para sua posição atual de maior revendedora online de música no mundo.

Em 2008, a Apple consolidou sua estratégia de plataforma lançando a App Store, para o altamente popular iPhone. A App Store permite aos usuários navegar, comprar e baixar aplicativos diretamente da iTunes Store e instalá-los em seus iPhones. Os desenvolvedores de aplicativos devem canalizar as vendas de todos os aplicativos através da App Store, com a Apple coletando 30% de royalties a cada aplicativo vendido.

Padrão de Plataforma Multilateral

A PROPOSTA DE VALOR deve criar valor em três áreas principais: primeiro, atraindo grupos de usuários (Segmentos de Clientes); combinando esses grupos; reduzindo custos canalizando as transações através da plataforma.

Modelos de negócios com padrões de plataforma multilateral têm uma estrutura distinta. Eles têm dois ou mais SEGMENTOS DE CLIENTE, cada um com sua própria Proposta de Valor e Fluxo de Receita. E mais, um Segmento de Cliente não pode existir sem os outros.

O RECURSO PRINCIPAL exigido para este padrão de modelo de negócios é a plataforma. As três atividades-chave são, geralmente, o gerenciamento da plataforma, o fornecimento do serviço e a promoção da plataforma.

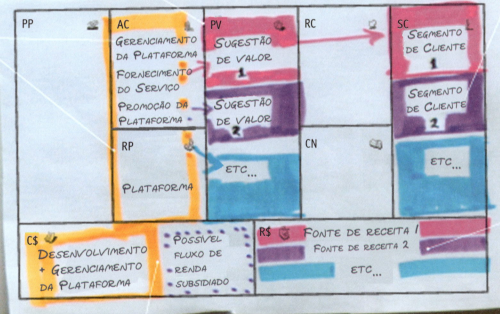

Cada Segmento de Cliente produz uma FONTE DE RECEITA diferente. Um ou mais segmentos podem apreciar ofertas gratuitas ou preços reduzidos subsidiados pelas receitas dos outros. Escolher qual segmento subsidiar pode ser uma decisão crucial que determinará o sucesso de um modelo de negócios de plataforma multilateral.

O CUSTO principal desse padrão está relacionado com a manutenção e o desenvolvimento da plataforma.

GRÁTIS
como Modelo de Negócios

Definição_Padrão Nº 4

GRÁTIS. • No Modelo de Negócios **GRÁTIS** *pelo menos* um Segmento de Clientes substancial é capaz de se *beneficiar continuamente* de uma oferta livre de custos. • *Diferentes padrões* tornam a gratuidade possível. • Clientes não pagantes são financiados por outra parte do Modelo de Negócios ou por outro Segmento de Clientes.

[RE-FE-RÊN-CIAS]

1 • "Free! Why $0.00 is the Future of Business." *Wired Magazine.* Anderson, Chris. Fevereiro, 2008.
2 • "How about Free? The Price Point That is Turning Industries on Their Heads." *Knowledge@Wharton.* Março, 2009.
3 • *Free: The Future of a Radical Price.* Anderson, Chris. 2008.

[E-XEM-PLOS]

Metro (jornal gratuito), Flickr, Software Livre, Skype, Google, Telefones Celulares Gratuitos.

Receber algo sem custos sempre foi uma Proposta de Valor atraente. Qualquer marketeiro ou economista confirmará que a demanda gerada por um preço zero é muitas vezes maior que a gerada por um preço de um centavo ou mais. Nos anos recentes, as ofertas gratuitas explodiram, particularmente na Internet. A pergunta, claro, é como você pode sistematicamente oferecer algo gratuitamente e ainda ter lucros? Parte da resposta está no fato de que o custo para produzir certas gratuidades, como o armazenamento de dados online, caiu drasticamente. Ainda assim, para gerar lucros, uma organização que oferece produtos ou serviços gratuitos deve ter alguma fonte de receita.

Há diversos padrões que tornam possível integrar em um negócio produtos e serviços gratuitos. Alguns dos padrões GRÁTIS tradicionais são bem conhecidos, como a publicidade, baseada no já discutido padrão de plataformas multilaterais (veja a pág. 76). Outros, como o chamado modelo freemium, que fornece serviços básicos sem custos e serviços premium por uma taxa, se tornaram populares com o aumento dos serviços oferecidos via Web.

Chris Anderson, cujo conceito de Cauda Longa já discutimos anteriormente (veja a pág. 66), ajudou o conceito de GRÁTIS a ganhar reconhecimento. Anderson mostra que o crescimento de ofertas gratuitas está intimamente relacionado a uma economia fundamentalmente diferente dos produtos e serviços digitais. Por exemplo, criar e gravar uma música custa tempo e dinheiro ao artista, mas o custo de reproduzir e distribuir digitalmente o trabalho na internet é próximo do zero. Assim, um artista pode promover e distribuir sua música para um público global através da Web, desde que encontre outras Fontes de Receita, como apresentações e merchandising, para cobrir os custos. Bandas e artistas que experimentaram com sucesso a música gratuita incluem o Radiohead e Trent Reznor, do Nine Inch Nails.

Nessa seção, observamos três padrões diferentes para tornar o GRÁTIS uma opção de Modelos de Negócios viável. Cada um tem uma economia base diferente, mas todos compartilham uma característica comum: pelo menos um Segmento de Cliente se beneficia continuamente de ofertas sem custos. Os três padrões são (1) oferta gratuita baseada em plataformas multilaterais (com base em anúncios), (2) serviços básicos gratuitos com serviços premium opcionais (freemium), (3) o modelo "isca & anzol", onde uma oferta inicial gratuita ou barata atrai o usuário para compras recorrentes.

(Como) pode deixá-lo de graça?

Publicidade: Um Modelo de Plataforma Multilateral

A publicidade é uma fonte de receita bem conhecida que permite ofertas gratuitas. É vista na televisão, no rádio e na Internet em uma de suas formas mais sofisticadas, nos anúncios direcionados do Google. Em termos de Modelos de Negócios, o GRÁTIS com base na publicidade é uma forma particular de plataforma multilateral (veja a pág. 76). Um lado da plataforma é projetado para atrair usuários com conteúdo, produtos ou serviços gratuitos. O outro lado gera receita vendendo espaço para anunciantes.

Um exemplo impactante é o Metro, jornal gratuito que começou em Estocolmo e agora está disponível em dezenas de cidades pelo mundo. A genialidade do Metro está em como modificou o modelo tradicional de jornalismo diário. Primeiro, é oferecido gratuitamente. Segundo, concentrou sua distribuição em zonas de alto tráfego de pessoas e redes de transporte público, seja manualmente ou em plateleiras de livre acesso. Isso exigiu que a Metro desenvolvesse sua própria rede de distribuição, mas permitiu à empresa obter rapidamente uma ampla circulação. Terceiro, ele cortou custos editoriais para produzir um jornal bom apenas o suficiente para entreter jovens passageiros durante curtas viagens. Concorrentes seguindo o mesmo modelo vieram, mas o Metro os deixou para trás com uma série de movimentos inteligentes. Por exemplo, tomou posse de muitos dos novos estandes em estações de trem e ônibus, forçando os rivais a dependerem da distribuição manual, mais cara, nas áreas mais importantes.

Minimiza custos cortando equipes editoriais para produzir um jornal apenas "suficientemente bom" para um passageiro ler durante sua viagem.

Garante alta circulação através da oferta gratuita e se concentra na distribuição em zonas de alto movimento de pessoas.

Metro

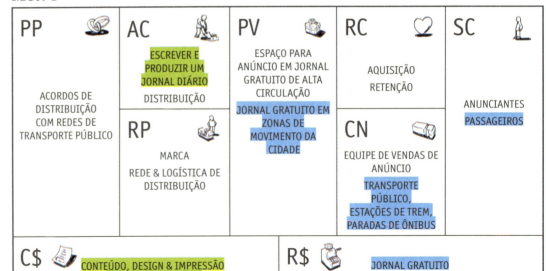

Massa ≠ Lucro automático com publicidade

Um grande número de usuários não se traduz automaticamente em uma fortuna com publicidade, como a rede social Facebook demonstrou. A empresa declarou mais de 200 milhões de usuários ativos em maio de 2009, e mais de 100 milhões se conectam diariamente ao site. Estes números fazem do Facebook a maior rede social do mundo. Ainda assim, os usuários respondem menos aos anúncios do Facebook que aos tradicionais anúncios da Web, de acordo com especialistas da indústria. Embora os anúncios sejam apenas uma das potenciais Fontes de Receita do Facebook, claramente uma massa de usuários não garante uma enorme receita de publicidade. Enquanto escreviamos este livro, o Facebook era de capital privado e não declarava dados de receita.

Facebook

ESPAÇO DE ANÚNCIO EM UMA REDE SOCIAL DE ALTO TRÁFEGO	PERSONALIZAÇÃO EM MASSA	ANUNCIANTES
REDE SOCIAL GRATUITA	EQUIPE DE VENDAS DE ANÚNCIOS FACEBOOK.COM	PÚBLICO GLOBAL DA WEB
	CONTAS GRATUITAS TAXAS PARA ESPAÇOS DE ANÚNCIO NO FACEBOOK	

Jornais: Gratuitos ou Não?

Uma indústria que está se deteriorando com o impacto do GRÁTIS é a publicação de jornais. Espremidos entre o conteúdo gratuitamente oferecido na Internet e os jornais gratuitos, diversos jornais tradicionais já pediram falência. A indústria americana de jornais atingiu um ponto crítico em 2008, quando o número de pessoas obtendo notícias online gratuitamente ultrapassou o número de pagantes de jornais e revistas, de acordo com um estudo do Pew Research Center.

Tradicionalmente, jornais e revistas dependiam de três fontes: venda em bancas, assinaturas e publicidade. As duas primeiras estão declinando rapidamente, e a terceira não cresce suficientemente rápido. Embora muitos jornais tenham aumentado seus acessos online, eles ainda não tiveram sucesso em transformar estes acessos em maiores receitas de publicidade. Enquanto isso, os altos custos fixos que garantem o bom jornalismo – equipes de opinião e de notícias – permanecem os mesmos.

Diversos jornais têm tentado criar assinaturas online, pagas, com resultados diversos. É difícil cobrar por artigos quando os leitores podem ler conteúdos similares gratuitamente em sites como CNN.com ou MSNBC.com. Poucos jornais têm tido sucesso em motivar leitores a pagarem por acesso a conteúdos premium.

No lado impresso, os jornais tradicionais estão sob ataque de publicações gratuitas como o *Metro*. Embora o *Metro* ofereça formato e qualidade jornalística completamente diferentes e se concentre primariamente em leitores jovens que anteriormente ignoravam jornais, ele está aumentando a pressão sob os fornecedores pagos de notícias. Cobrar por notícias está se tornando uma Proposta de Valor cada vez mais difícil.

Alguns empreendedores do jornalismo vêm fazendo experiências com novos formatos no espaço online. Por exemplo, o True/Slant (trueslant.com) agrega em um site o trabalho de mais de 60 jornalistas, cada um especialista em um campo. Os escritores recebem parte das receitas de publicidade e patrocínios. Por uma taxa, anunciantes podem publicar seu próprio material em páginas paralelas ao conteúdo noticiário.

Padrão de Publicidade Gratuita de Plataformas Multilaterais

Com o PRODUTO OU SERVIÇO certo e alta circulação de usuários, a plataforma se torna interessante para os anunciantes, o que, por sua vez, permite COBRAR taxas para subsidiar produtos e serviços gratuitos.

Os CUSTOS principais estão relacionados com o desenvolvimento e a manutenção da plataforma; também podem surgir custos de geração e retenção de tráfego.

Produtos e serviços gratuitos geram um alto tráfego na plataforma e aumentam os atrativos para os anunciantes.

Freemium: Ganhe o Básico, Pague para Ter Mais

O termo "freemium" foi cunhado por Jarid Lukin e popularizado pelo investidor de capital de risco Fred Wilson em seu blog. Ele descreve os modelos de negócio, principalmente baseados na Web, que misturam serviços básicos gratuitos com serviços pagos. O modelo *freemium* é caracterizado por uma grande base de usuários se beneficiando de uma oferta gratuita. A maioria nunca se torna cliente pagante; apenas uma porção pequena, geralmente menos de 10%, assina os serviços pagos. Esta pequena base de usuários pagantes subsidia os usuários gratuitos. Isso é possível devido ao baixo custo em servir aos usuários gratuitos. Em um modelo assim, as métricas-chave a serem observadas são (1) o custo médio do serviço para um usuário gratuito e (2) a taxa de conversão de clientes gratuitos em clientes pagantes.

O Flickr, um popular site de compartilhamento de fotos adquirido pelo Yahoo! em 2005, serve como bom exemplo de Modelos de Negócios *freemium*. Os usuários do Flickr podem se inscrever gratuitamente para uma conta básica, que permite que enviem e compartilhem imagens. O serviço gratuito possui certas limitações, como espaço de armazenamento e um número máximo de postagens por mês. Por uma pequena taxa anual, usuários podem comprar uma conta "profissional", ganhando postagens e espaço de armazenamento ilimitados, além de bônus adicionais.

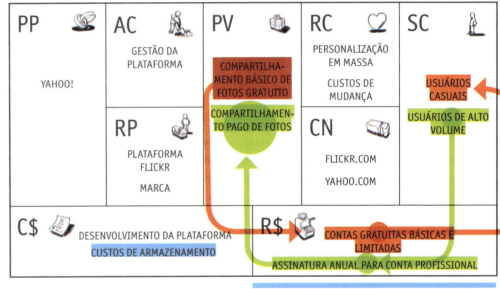

Código Aberto: Freemium com um Toque Especial

Os modelos de negócios da indústria de software têm, em geral, duas características básicas: o alto custo fixo para apoiar um exército de desenvolvedores especialistas que constroem o produto e um modelo de renda baseado na venda de licenças por usuário e atualizações regulares do software.

A Red Hat, uma empresa de software dos EUA, virou o modelo de cabeça para baixo. Em vez de criar um software do zero, ela constrói seus produtos sobre o chamado software de código aberto (*open source*), desenvolvido voluntariamente por milhares de engenheiros de software por todo o mundo. A Red Hat compreende que as empresas se interessam por software de código aberto, livre de taxas de licença, mas estavam relutantes em adotá-lo por achar que a ausência de uma entidade única legalmente responsável por fornecê-los e mantê-los seria problemática. A Red Hat preencheu esta lacuna oferecendo versões estáveis, testadas e prontas para uso de softwares de código aberto já disponíveis, principalmente o Linux.

Cada lançamento da Red Hat recebe garantia de suporte por sete anos. Os clientes se beneficiam, pois o método permite que aproveitem as vantagens dos custos e a estabilidade dos softwares de código aberto, enquanto os protege das incertezas de um produto que não é oficialmente "de ninguém". A Red Hat se beneficia porque seu catálogo é continuamente aprimorado pela comunidade, sem custos. Isso reduz substancialmente seus gastos com desenvolvimento.

Naturalmente, a Red Hat também precisa ganhar dinheiro. Em vez de cobrar aos clientes a cada novo lançamento – o modelo de receita tradicional para software –, ela vende assinaturas. Por uma taxa anual, os clientes aproveitam o acesso contínuo aos últimos lançamentos da empresa, um serviço de suporte ilimitado e a segurança de interagir com o proprietário legal do produto. As empresas estão dispostas a pagar por esses benefícios, independentemente da disponibilidade gratuita de muitas versões do Linux e de outros softwares de código aberto.

Red Hat

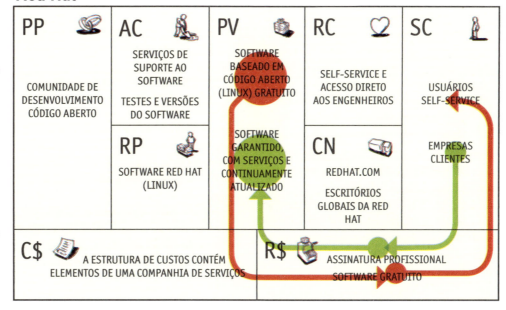

Skype

O Skype oferece um intrigante exemplo de modelo *freemium* que abalou o setor de telecomunicações, permitindo serviços gratuitos de ligações via Internet. O Skype desenvolveu um software de mesmo nome que, quando instalado em computadores ou smartphones, permite ao usuário fazer ligações de um dispositivo para outro, sem custos. O Skype pode fazer isso porque sua Estrutura de Custos é completamente diferente daquela de uma operadora de telecomunicações. As ligações gratuitas são totalmente roteadas através da Internet, com base na tecnologia *peer-to-peer*, que emprega o hardware e a Internet do usuário como infraestrutura de comunicação. Assim sendo, o Skype não precisa gerenciar sua própria rede como uma operadora de telecomunicações, e tem apenas pequenos custos para suportar usuários adicionais. O Skype exige muito pouco de sua própria infraestrutura além do software e dos servidores que hospedam as contas dos usuários.

Os usuários pagam apenas por ligações para linhas telefônicas fixas ou celulares, assinando um serviço premium chamado SkypeOut, que tem taxas muito baixas. De fato, é cobrado dos usuários pouco mais que os custos que o próprio Skype tem com as ligações roteadas através de operadoras como a iBasis e Level 3, que lidam com o tráfego da companhia.

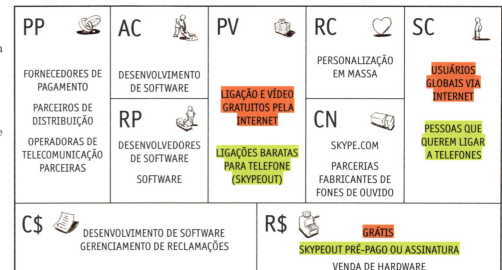

Skype

PP **FORNECEDORES DE PAGAMENTO** PARCEIROS DE DISTRIBUIÇÃO OPERADORAS DE TELECOMUNICAÇÃO PARCEIRAS	AC **DESENVOLVIMENTO DE SOFTWARE** RP **DESENVOLVEDORES DE SOFTWARE** SOFTWARE	PV LIGAÇÃO E VÍDEO GRATUITOS PELA INTERNET LIGAÇÕES BARATAS PARA TELEFONE (SKYPEOUT)	RC PERSONALIZAÇÃO EM MASSA CN SKYPE.COM PARCERIAS FABRICANTES DE FONES DE OUVIDO	SC USUÁRIOS GLOBAIS VIA INTERNET PESSOAS QUE QUEREM LIGAR A TELEFONES
C$ DESENVOLVIMENTO DE SOFTWARE GERENCIAMENTO DE RECLAMAÇÕES				R$ GRÁTIS SKYPEOUT PRÉ-PAGO OU ASSINATURA VENDA DE HARDWARE

O Skype declara ter mais de 400 milhões de usuários registrados, que fizeram mais de 100 bilhões de ligações gratuitas desde a fundação da companhia, em 2004. A empresa declarou uma receita de US$ 550 milhões em 2007, embora a companhia e sua proprietária, eBay, não liberem dados financeiros detalhados incluindo informações de lucratividade. Logo deveremos saber mais, pois o eBay anunciou planos de abrir o capital do Skype através de um IPO (oferta pública inicial de ações).

Mais de 90% dos usuários de Skype se inscrevem no serviço gratuito.

Ligações pagas do SkypeOut contabilizam menos de 10% do uso total.

+5 anos de idade
+400 milhões de usuários
+100 bilhões de ligações gratuitas geradas
Receita em 2008 de US$ 550 milhões

O Skype abalou a indústria das telecomunicações e ajudou a levar os custos de comunicação de voz para perto do zero. As operadoras de telecomunicações inicialmente não entenderam porque o Skype ofereceria ligações gratuitamente e não levaram a companhia a sério. Mais que isso, apenas uma fração minúscula dos clientes tradicionais das operadoras passaram a usar o Skype. Mas, com o tempo, mais e mais clientes decidiram fazer suas ligações internacionais com o programa, abocanhando uma das mais lucrativas fontes de renda das operadoras. Esse padrão, típico de um Modelo de Negócios revolucionário, afetou severamente o negócio tradicional de comunicação por voz e hoje o Skype é o maior fornecedor desse serviço do mundo, de acordo com a firma de pesquisas de telecomunicação Telegeography.

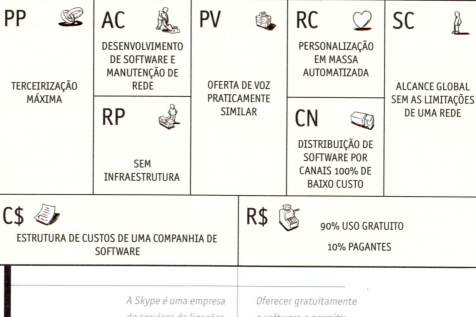

Skype versus Operadoras de Telecom

A Skype é uma empresa de serviços de ligações por voz operando como uma empresa de software.

Oferecer gratuitamente o software e permitir aos clientes fazerem ligações gratuitas de Skype para Skype custa pouco à empresa.

O Modelo das Seguradoras: Freemium de Cabeça para Baixo

No modelo *freemium*, uma pequena base de clientes que paga por um um serviço *premium* subsidia uma grande base de clientes que não pagam. O modelo das empresas de seguro é basicamente o oposto – é o modelo *freemium* virado de cabeça para baixo. No modelo das seguradoras, uma grande base de clientes paga pequenas taxas regulares para se proteger de certos eventos improváveis – porém, financeiramente devastadores. Resumindo, uma grande base de clientes pagantes subsidia um pequeno grupo de pessoas com necessidades reais – mas qualquer um dos clientes pagantes pode, a qualquer momento, se tornar parte do segundo grupo.

Vamos observar a REGA como exemplo. A REGA é uma organização suíça sem fins lucrativos que utiliza helicópteros e aviões para transportar equipes médicas até locais onde ocorreram acidentes, principalmente nas áreas montanhosas da Suíça. Cerca de dois milhões de "patrocinadores" financiam a organização. Em contrapartida, os pagantes estão liberados de qualquer custo que venham a ter se forem eles mesmos resgatados pela REGA. As operações de resgate podem ser extremamente caras, então os patrocinadores consideram esse o atrativo, sendo protegidos contra acidentes durante suas férias de esqui, caminhadas de verão ou passeios na montanha.

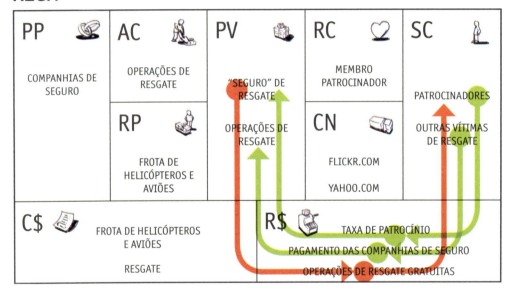

Muitos usuários pagantes cobrem os custos dos poucos sinistros.

"Toda indústria que se torna digital eventualmente se torna gratuita."

— *Chris Anderson*
Editor Chefe, Wired Magazine

"Não podemos mais esperar e observar os outros irem embora com o nosso trabalho usando teorias legais sem direcionamento."

— *Dean Singleton*
Presidente, Associated Press

"A demanda que você obtém com preço zero é bem maior que a demanda que você obtém mesmo com um preço muito baixo."

— *Kartik Hosanagar*
Professor Assistente, Wharton

"O Google não é uma empresa de verdade. É um castelo de cartas."

— *Steve Balmer*
CEO, Microsoft

Padrão Freemium

A plataforma é o ATIVO mais importante no padrão *freemium*, pois permite a oferta de serviços básicos gratuitos com baixo custo.

A ESTRUTURA DE CUSTOS deste padrão é tripartida: geralmente com custos fixos substanciais, custos marginais muito baixos para prestar serviço às contas gratuitas, e custos (separados) para contas *premium*.

O RELACIONAMENTO COM O CLIENTE deve ser automatizado e de baixo custo, para poder suportar um grande número de usuários gratuitos.

Uma MÉTRICA IMPORTANTE a seguir é a taxa de conversão de usuários gratuitos em contas premium.

USUÁRIOS descreve quantos usuários um Modelo de Negócios *freemium* pode atrair.

Os CUSTOS FIXOS de uma companhia para executar seu Modelo de Negócios (ex.: custos do sistema).

modelo *freemium* é
racterizado por uma
nde base de usuários do
viço gratuito subsidiada
r uma pequena base de
ários pagantes.

Os usuários aproveitam
viços básicos gratuitos
odem pagar por um
viço premium que oferece
nefícios adicionais.

O CUSTO DO SERVIÇO indica o custo médio da empresa para entregar os serviços gratuitos ou premium aos usuários.

O AS TAXAS DE CRESCIMENTO E DESISTÊNCIA especificam quantos usuários desistem ou se juntam à base de usuários.

O CUSTO DE AQUISIÇÃO DE CLIENTES são os gastos totais de uma companhia para obter novos usuários.

RCENTUAL DE USUÁRIOS
MIUM & GRATUITOS
cifica quantos usuários
pagantes e quantos não
m nada.

O PREÇO DO SERVIÇO PREMIUM indica o custo médio da companhia para fornecer o serviço premium a um usuário pagante.

GRÁTIS COMO MODELO DE NEGÓCIOS

lucro operacional do período	renda	lucro do serviço	custos fixos	custos de aquisição de cliente	lucro operacional
mês 1	$2,116,125	$391,500	$1,100,000	$650,000	
mês 2	$2,151,041	$397,960	$1,100,000	$650,000	-$2 ,3
mês 3	$2,186,533	$404,526	$1,100,000	$650,000	$,08
mês 4	$2,222,611	$411,201	$1,100,000	$650,000	$32,0
mês 5	$2,259,284	$417,986	$1,100,000	$650,000	$6
mês 6	$2,296,562	$424,882	$1,100,000		
mês 7	$2,334,456	$431,893			
mês 8	$2,372,974				
mês 9	$2,				

103

PADRÕES

custo do serviço no período	usuário	% de usuários gratuitos	custo do serviço para usuário gratuito	usuários	% de usuários premium	custo do serviço para usuários premium	Custo de todos os serviços
							$391,500
					0.05	$0.30	$397,960
	9,000,000	0.95	$0.03	9,000,000	0.05	$0.30	$404,526
mês 1	9,148,500	0.95	$0.03	9,148,500	0.05	$0.30	$411,201
		0.95	$0.03	9,299,450	0.05	$0.30	$417,986

renda no período	usuários	% de usuários premium	preço do serviço premium	taxa de crescimento	taxa de desistência	renda
mês 1	9,000,000	0.05	$4.95	1.07	0.95	$2,116,125
mês 2	9,148,500	0.05	$4.95	1.07	0.95	$2,151,041
mês 3	9,299,450	0.05	$4.95	1.07	0.95	$2,186,533
mês 4	9,452,891	0.05	$4.95	1.07	0.95	$2,222,611
mês 5	9,608,864	0.05	$4.95	1.07	0.95	$2,259,284
mês 6	9,767,410	0.05	$4.95	1.07	0.95	$2,296,562
mês 7	9,928,572	0.05	$4.95	1.07	0.95	$2,334,456
mês 8	10,092,394	0.05	$4.95	1.07	0.95	$2,372,974
	10,258,918	0.05	$4.95	1.07	0.95	$2,412,128
		0.05	$4.95	1.07	0.95	$2,451,928
		0.05	$4.95	1.07	0.95	$2,492,385
			$4.95	1.07	0.95	$2,533,509

$$A\ RENDA = \{USUÁRIOS \times \%\ DE\ USUÁRIOS\ PREMIUM \times PREÇO\ DO\ SERVIÇO\ PREMIUM\} \times TAXA\ DE\ CRESCIMENTO \times TAXA\ DE\ DESISTÊNCIA$$

$$CUSTO\ DO\ SERVIÇO = \{USUÁRIOS \times \%\ DE\ USUÁRIOS\ GRATUITOS \times CUSTO\ DO\ SERVIÇO\ PARA\ USUÁRIOS\ GRATUITOS\} + \{USUÁRIOS \times \%\ DE\ USUÁRIOS\ PREMIUM \times CUSTO\ DO\ SERVIÇO\ PARA\ USUÁRIOS\ PREMIUM\}$$

$$LUCRO\ OPERACIONAL = RENDA - CUSTO\ DO\ SERVIÇO - CUSTOS\ FIXOS - CUSTOS\ DE\ AQUISIÇÃO\ DE\ CLIENTE$$

Isca & Anzol

"Isca & Anzol" refere-se ao padrão de Modelo de Negócios caracterizado por uma oferta inicial atraente, barata ou gratuita, que encoraja contínuas compras futuras de produtos ou serviços relacionados. Este padrão também é conhecido como modelos "de perda inicial" ou "barbeador e lâminas". "Perda inicial" é a oferta inicial subsidiada, até mesmo com perdas, com a intenção de gerar lucros a partir das compras subsequentes. "Barbeador e lâminas" é o nome dado ao Modelo de Negócios popularizado pelo empresário americano King C. Gillette, inventor da lâmina de barbear descartável (veja a pág. 105). Utilizamos o termo isca & anzol para descrever a ideia geral de atrair clientes com uma oferta inicial, lucrando com as vendas subsequentes.

A indústria de telefonia celular fornece uma boa ilustração do padrão. Agora é prática entre essas empresas oferecerem um telefone gratuito junto com a assinatura. As operadoras inicialmente perdem dinheiro, dando telefones celulares gratuitamente, mas cobrem os gastos cobrando por serviços mensais subsequentes. As operadoras oferecem a gratificação instantânea com a oferta gratuita, que mais tarde gera rendas recorrentes.

A Isca & Anzol dos Telefones Celulares Gratuitos

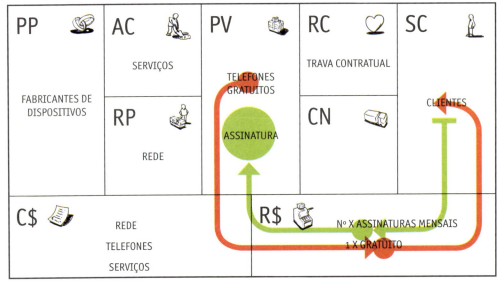

A forma do padrão isca & anzol conhecida como modelo barbeador e lâminas é nomeada com inspiração na forma como os primeiros barbeadores descartáveis eram vendidos. Em 1904, King C. Gillette decidiu vender barbeadores com desconto, ou até mesmo oferecê-los gratuitamente com outros produtos, para criar demanda para suas lâminas descartáveis. Hoje a Gillette ainda é a marca mais famosa de produtos para barbear. A chave do seu modelo está na ligação íntima entre o produto inicial gratuito ou barato com o item que o segue – geralmente descartável –, com o qual a empresa lucra. Controlar a estratégia de "trava" é crucial para o sucesso. Através do bloqueio de patentes, a Gillette garantiu que a concorrência não pudesse oferecer lâminas mais baratas para os aparelhos de barbear Gillette. De fato, atualmente as lâminas de barbear estão entre os produtos de consumo mais patenteados, com mais de 1.000 patentes cobrindo desde faixas lubrificantes até sistemas de carga de cartucho.

Barbeador & Lâminas: Gillette

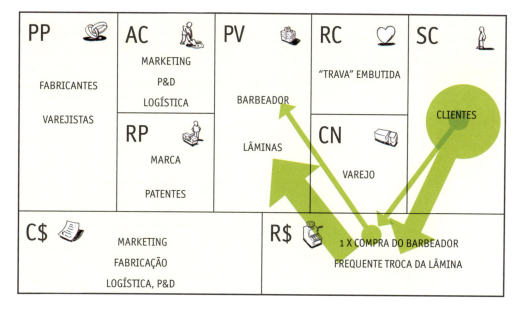

Este padrão é popular no mundo dos negócios e tem sido aplicado em muitos setores, incluindo as impressoras jato de tinta. Fabricantes como HP, Epson e Canon tipicamente vendem impressoras a preços baixos, mas geram margens lucrativas com as vendas de cartuchos de impressão.

Padrão Isca & Anzol

Concentrada na OFERTA de serviços e produtos subsequentes.

O padrão Isca & Anzol geralmente exige uma MARCA forte.

Elementos importantes da ESTRUTURA DE CUSTOS incluem subsídios do produto inicial e os custos de produção dos produtos e serviços subsequentes.

ISCAS baratas ou gratuitas "atraem" os clientes – estando intimamente ligadas a um serviço ou item (descartável) acompanhante.

Este padrão é caracterizado por uma conexão direta, ou TRAVA, entre o produto inicial e os produtos ou serviços subsequentes.

CLIENTES são atraídos pela gratificação instantânea de um produto ou serviço inicial gratuito.

A compra inicial única gera pouca ou nenhuma RECEITA, mas é compensada pelas repetidas compras subsequentes de produtos ou serviços com alta margem de lucro.

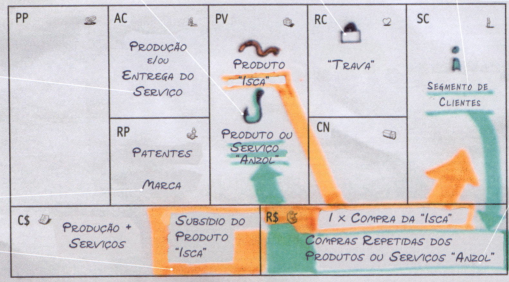

Modelos de Negócios Abertos

Definição_Padrão nº 5

MODELOs DE NEGÓCIOS ABERTOs pode ser utilizado por companhias para criar e capturar valor sistematicamente *colaborando com parceiros externos.*

• *Isto* pode acontecer de *"fora para dentro"*, explorando ideias externas dentro da empresa, ou de *"dentro para fora"*, fornecendo a grupos externos ideias ou recursos internos.

[RE-FE-RÊN-CIA]
1 • *Open Business Models: How to Thrive in the New Innovation Landscape.* Chesbrough, Henry. 2006.
2 • "The Era of Open Innovation." *MIT Sloan Management Review.* Chesbrough, Henry. Nº3, 2003.

[E-XEM-PLOS]
P&G, GlaxoSmith Kline, Innocentive

Base Tecnológica Interna

Base Tecnológica Externa

Mercado de outra empresa

Nosso novo mercado

Nosso mercado ATUAL

Modelos de negócios abertos e inovações abertas são dois termos cunhados por Henry Chesbrough. Eles se referem à abertura do processo de pesquisa de uma companhia para grupos externos. Chesbrough argumenta que, em um mundo caracterizado pela distribuição do conhecimento, as organizações podem criar mais valor e explorar melhor suas próprias pesquisas ao integrar conhecimento, propriedade intelectual e produtos externos aos seus processos de inovação.

Adicionalmente, Chesbrough demonstra que produtos, tecnologias, conhecimento e propriedade intelectual internos podem ser monetarizados ao serem disponibilizados para grupos externos através de licenciamentos, empreendimentos conjuntos ou ramificações. Chesbrough distingue entre inovação de "fora para dentro" e inovação de "dentro para fora". A inovação de "fora para dentro" ocorre quando uma organização traz ideias, tecnologias ou propriedade intelectual externas para seus processos de desenvolvimento e comercialização. A tabela ao lado ilustra como as companhias dependem cada vez mais de fontes externas de tecnologia para reforçar seus modelos de negócios. A inovação de "dentro para fora" ocorre quando a organização licencia ou vende sua propriedade intelectual ou tecnologia, particularmente seus recursos não utilizados. Nesta seção descrevemos os padrões de Modelo de Negócios de firmas que praticam a inovação aberta.

PRINCÍPIOS DA INOVAÇÃO

Fechada	Aberta
As melhores pessoas trabalham para nós.	Precisamos trabalhar com as melhores pessoas, estejam dentro ou fora da empresa
Para lucrar com a pesquisa e desenvolvimento (P&D), precisamos descobrir, desenvolver e vender por nós mesmos.	A P&D externa pode criar valor significativo; a P&D interna é necessária para adquirir alguma porção daquele valor.
Se conduzirmos a maioria das melhores pesquisas em nosso setor, venceremos	Não precisamos originar a pesquisa para nos beneficiarmos dela.
Se criarmos as melhores ideias na indústria, venceremos.	Se fizermos o melhor uso de ideias internas e externas, venceremos.
Devemos controlar nosso processo de inovação, de modo que os competidores não lucrem a partir de nossas ideias.	Devemos lucrar com o uso de nossas inovações por outros, além de comprar a propriedade intelectual de outros sempre que isto apoiar nossos interesses.

Fonte: Adaptado de Chesbrough, 2003 e Wikipedia, 2009.

Procter & Gamble: Conectar & Desenvolver

Em junho de 2000, em meio a uma queda contínua no preço das ações da Procter & Gamble, um executivo de longa data da companhia, A. G. Lafley, recebeu o convite para se tornar o novo CEO da gigante de produtos de consumo. Para rejuvenescer a P&G, Lafley resolveu pôr a inovação de volta no núcleo da companhia. Mas, em vez de aumentar as despesas em P&D, ele se concentrou em estruturar uma nova cultura de inovação, que mudou de um método de P&D de foco interno para um processo aberto. Um elemento crucial foi a estratégia Conectar & Desenvolver, direcionada ao aproveitamento da pesquisa interna graças a parcerias externas. Lafley definiu um objetivo ambicioso: criar 50% das inovações da P&G com parceiros externos, quando esses números estavam próximos dos 15%. A empresa ultrapassou seu objetivo em 2007. Enquanto isso, a produtividade do P&D aumentou 85%, mesmo com as despesas em P&D só um pouco maiores do que quando Lafley se tornou novo CEO.

Para conectar seus recursos internos e atividade com o mundo exterior, a Procter & Gamble construiu três "pontes" em seu modelo de negócio: empreendedores tecnológicos, plataformas da Internet e aposentados.

❶ Através de plataformas na Internet, a P&G se conecta com especialistas em solução de problemas do mundo inteiro. Plataformas como a InnoCentives (veja a pág. 114) permitem à P&G expôr alguns de seus problemas com pesquisa para cientistas de fora, ao redor do globo. Aqueles que respondem recebem prêmios em dinheiro por desenvolverem soluções funcionais.

❷ Empreendedores tecnológicos são cientistas adjuntos de unidades de negócio da P&G, que sistematicamente desenvolvem relações com pesquisadores em universidades e outras empresas. Eles também agem como "caçadores", que buscam no mundo externo soluções para os desafios internos.

❸ A P&G solicita o conhecimento de funcionários aposentados através da YourEncore.com, uma plataforma que a companhia lançou especificamente para servir como "ponte" de inovação com o resto do mundo.

Fora para Dentro

PROPRIEDADE INTELECTUAL DE OUTRA COMPANHIA	P&D INTERNO
EMPREENDEDORES TECNOLÓGICOS	
PLATAFORMAS DE INTERNET	
YOUR-ENCORE	
CIENTISTAS EXTERNOS CIENTISTAS APOSENTADOS	P&D EXTERNO

ALAVANCANDO O P&D INTERNO

Fontes de Patente da GlaxoSmithKline

O método de dentro para fora normalmente se concentra em monetarizar recursos internos não utilizados, principalmente patentes e tecnologia. No caso da estratégia de pesquisa "fonte de patentes" da GlaxoSmithKline, entretanto, a motivação é sutilmente diferente. O objetivo da empresa era tornar os remédios mais acessíveis nos países mais pobres e facilitar a pesquisa de doenças pouco estudadas. Uma solução era colocar os direitos de propriedade intelectual relevantes no desenvolvimento de remédios para tais doenças em uma fonte de patentes aberta, a ser explorada por outros pesquisadores. Já que as companhias farmacêuticas se concentram principalmente em desenvolver remédios para doenças mais disseminadas, a propriedade intelectual para doenças menos estudadas é frequentemente ignorada. A fonte de patentes agrega propriedades intelectuais de diferentes proprietários e as torna mais acessíveis. Isto ajuda a evitar que os avanços de P&D sejam bloqueados por um único proprietário

Ideias internas, P&D e propriedades intelectuais não utilizadas relacionadas a doenças em nações pobres têm valor substancial quando agrupadas.

O Conector: Innocentive

Empresas buscando inspiração de pesquisadores externos arcam com custos substanciais ao tentar atrair pessoas ou organizações com o conhecimento para resolver seus problemas. Por outro lado, pesquisadores que queiram aplicar seus conhecimentos fora de suas próprias organizações também arcam com custos de pesquisa ao buscarem oportunidades atraentes. É nesse ponto que uma companhia chamada InnoCentive viu sua oportunidade.

A InnoCentive cria conexões entre organizações com problemas para resolver e pesquisadores ao redor do mundo ávidos para resolver problemas. Originalmente parte da fabricante de medicamentos Eli Lilly, a InnoCentive agora funciona como uma intermediária independente, listando ONGs, agências governamentais e organizações comerciais como Procter & Gamble, Solvay e a Rockefeller Foundation. Companhias que postam seus desafios de inovação no site da InnoCentive são chamadas de "buscadoras". Elas recompensam soluções bem-sucedidas com prêmios em dinheiro que podem variar de U$5.000 até U$1.000.000. Os cientistas que buscam encontrar as soluções são chamados de "solucionadores". A Proposta de Valor da InnoCentive está em agregar e conectar "buscadores" e "solucionadores". Você pode reconhecer essas qualidades como característica do padrão de plataforma multilateral (veja a pág. 76). As companhias com padrões de Modelos de Negócios abertos geralmente constroem tais plataformas para reduzir os custos da busca.

Innocentive

"BUSCADORES" PRINCIPAIS	GERENCIAMENTO DE PLATAFORMA	ACESSO A UMA AMPLA REDE DE CIENTISTAS "SOLUCIONADORES"	PERFIS ONLINE	"BUSCADORES" (EMPRESA)
	OBTER SOLUCIONADORES E BUSCADORES	CONECTAR "BUSCADORES" E "SOLUCIONADORES"		"SOLUCIONADORES" (CIENTISTAS)
	PLATAFORMA INNOCENTIVE COM UMA BASE DE "SOLUCIONADORES" & "BUSCADORES"	ACESSO A DESAFIOS CIENTÍFICOS COM RECOMPENSA EM DINHEIRO	INNOCENTIVE.COM	
GERENCIAMENTO DE PLATAFORMA AQUISIÇÃO DE "SOLUCIONADORES" & "BUSCADORES"		ACESSO GRATUITO AOS DESAFIOS TAXA POR LISTAR DESAFIOS PARA SOLUCIONADORES EM BUSCA DE COMISSÃO	

"A inovação aberta é, fundamentalmente, sobre operar em um mundo de conhecimento abundante onde nem todas as pessoas espertas trabalham para você, então é melhor você encontrá-las, se conectar com elas e se inspirar naquilo que sabem fazer."

— Henry Chesbrough
Diretor Executivo, Center for Open Innovation
Haas School of Business, UC Berkeley

"Conhecidos por nossa preferência em fazer tudo internamente, começamos a buscar inovações a partir de toda e qualquer fonte, dentro ou fora da companhia."

— A. G. Lafley
Presidente & CEO, P&G

"A Nestlé claramente reconhece que, para atingir seu objetivo de crescimento, precisa estender suas capacidades internas e estabelecer um grande número de relações de parcerias estratégicas. Ela abraçou a inovação aberta e trabalha agressivamente com parceiros para criar novas oportunidades significativas de mercado e produto."

— Helmut Traitler
Líder de Parcerias de Inovação, Nestlé

Padrão de Fora para Dentro

ORGANIZAÇÕES EXTERNAS, algumas vezes de indústrias completamente diferentes, podem ser capazes de oferecer *insights* valiosos, conhecimentos, patentes ou produtos prontos para os grupos de P&D internos.

Construir sobre conhecimento externo exige **ATIVIDADES** dedicadas que conectem as entidades externas com processos internos de negócio e grupos de P&D.

Tirar vantagem de inovações externas exige **RECURSOS** específicos para construir portais para redes externas.

CUSTA dinheiro adquirir inovação de fontes externas. Mas, construindo a partir de conhecimentos e programas avançados de pesquisa criados externamente, uma companhia pode encurtar o tempo de inserção no mercado e aumentar a produtividade de seu P&D interno.

Companhias estabelecidas, com marcas fortes, Canais de Distribuição poderosos e robustas Relações com Clientes estão bem adequadas para o modelo de negócio aberto de fora para dentro. Elas podem alavancar o relacionamento com os clientes existentes com base em fontes externas de inovação.

Padrão de Dentro para Fora

Alguns resultados de P&D inutilizáveis internamente – seja por motivos estratégicos ou operacionais – podem ser de grande VALOR para outras indústrias.

Organizações com operações internas de P&D substanciais possuem, tipicamente, muito conhecimento, tecnologias e propriedades intelectuais não utilizadas. Devido ao foco nítido nos negócios principais, alguns desses outrora valiosos recursos intelectuais ficam inertes. Tais negócios são bons candidatos para um modelo de negócios aberto "de dentro para fora".

Permitir que outros explorem ideias internas não utilizadas adiciona uma "fácil" FONTE DE RECEITA adicional.

Resumo dos Padrões

	Modelos de Negócios Desagregados	**A Cauda Longa**
Contexto (Antes)	Um modelo integrado combina gerenciamento de infraestrutura, inovação de produto e relacionamento com o cliente sob um mesmo teto.	A Proposta de Valor visa apenas os clientes mais lucrativos.
Desafio	Os custos são muito altos. Diversas culturas organizacionais conflitantes estão combinadas em uma única entidade, resultando em compensações desnecessárias.	Direcionar a segmentos menos lucrativos com Proposta de Valor específica é muito caro.
Solução (Depois)	O negócio está desagregado em três modelos separados, porém complementares, lidando com: • gerenciamento de infraestrutura • inovação de produto • relacionamento com o cliente.	A Proposta de Valor nova ou adicional visa um número maior de Segmentos de Clientes historicamente menos lucrativos e de nicho – que, quando agregados, são lucrativos.
Lógica	Melhorias nas ferramentas de gerenciamento e TI permitem separar e coordenar diferentes modelos de negócio com custo mais baixo, eliminando assim as compensações indesejadas.	Melhorias em TI e no gerenciamento de operações permitem fornecer Propostas de Valor adequadas a um grande número de novos clientes com custo baixo.
Exemplos	Bancos Privados Telefonia Celular	Indústria editorial (Lulu.com) LEGO

Plataformas Multilaterais	*GRÁTIS como Modelo de Negócios*	*Modelos de Negócios Abertos*
Uma Proposta de Valor se direciona a um Segmento de Clientes.	Uma Proposta de Valor de alto valor e alto custo é oferecida apenas a clientes pagos.	Recursos de P&D e Atividades-Chave são concentrados dentro da empresa: • Ideias são inventadas apenas "internamente" • Resultados são explorados apenas "internamente"
A empresa não consegue adquirir novos clientes potenciais que estejam interessados em acessar a base de clientes existente (ex. desenvolvedores que queiram chegar aos usuários de consoles).	O alto preço afasta os clientes.	O P&D é caro e/ou a produtividade está caindo.
Uma Proposta de Valor que dê acesso a um Segmento de Clientes existente da companhia é adicionada (ex. um fabricante de consoles para jogos fornece aos desenvolvedores de software acesso aos seus usuários).	Diversas propostas de valor são oferecidas a diferentes Segmentos de Clientes com diferentes Fontes de Receita, um deles livre de custo (ou custando muito pouco).	Recursos e Atividades de P&D internas são alavancados pela utilização de parceiros externos. Resultados de P&D internos são transformados em Proposta de Valor e oferecidos para Segmentos de Clientes interessados.
Um intermediário operando uma plataforma entre dois ou mais Segmentos de Clientes adiciona Fontes de Receita ao modelo inicial.	Segmentos de Clientes não pagantes são subsidiados pelos clientes pagantes, para atrair o maior número possível de usuários.	Obter P&D de fontes externas pode ser menos dispendioso, resultando em prazos mais curtos para entrar no mercado. Inovações não exploradas têm potencial para gerar mais receita quando comercializadas.
Google Consoles de jogos da Nintendo, Sony e Microsoft Apple iPod, iTunes, iPhone	Anunciantes e jornais *Metro* Flickr Código Aberto Red Hat Skype (versus Operadoras de Telecomunicação) Gillette Barbeador e Lâminas	Procter & Gamble GlaxoSmithKline Innocentive

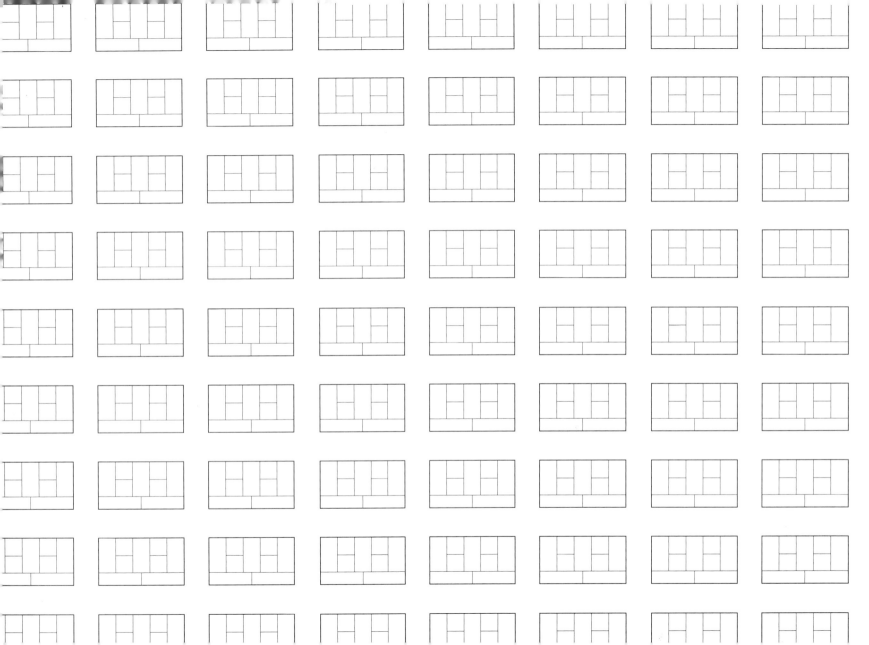

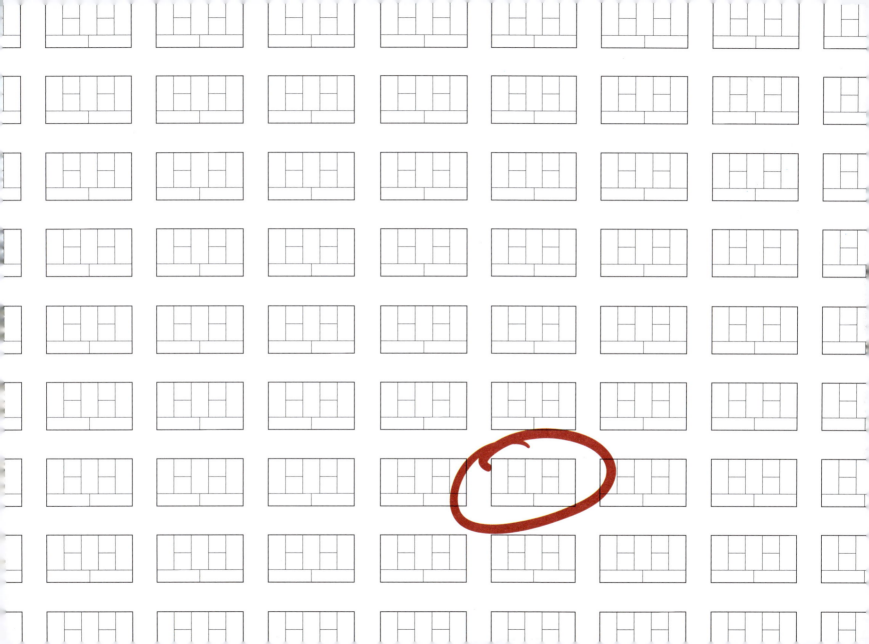

Des

ign

"As pessoas de negócios não precisam só entender melhor os designers; elas precisam se tornar designers."

Roger Martin, Reitor, Rotman School of Management

Esta seção descreve uma variedade de técnicas e ferramentas do mundo do design que podem ajudar você a projetar Modelos de Negócios melhores e mais inovadores. O trabalho de um designer traz questionamentos intermináveis sobre a melhor forma possível de criar o novo, descobrir o inexplorado, obter o funcional. O trabalho de um designer é estender os limites do pensamento, apresentar novas opções e, em resumo, criar valor para os usuários. Isso exige a capacidade de imaginar "aquilo que não existe". Estamos convencidos de que as ferramentas e a atitude da profissão do design são requisitos para o sucesso na geração de Modelos de Negócios.

As pessoas de negócios, sem perceber, praticam design todos os dias. Desenvolvem organizações, estratégias, Modelos de Negócios, processos e projetos. Para isso, devem levar em consideração uma complexa rede de fatores, como seus competidores, a tecnologia, aspectos regulatórios e muito mais. Cada vez mais, precisamos fazê-lo em território não familiar e não mapeado. É precisamente do que se trata o design. Do que os administradores carecem é de ferramentas de design que complementem suas habilidades de negócio.

As páginas seguintes exploram seis técnicas de design de Modelos de Negócios: Insights dos Clientes, Ideação, Pensamento Visual, Protótipos, Contando Histórias e Cenários. Apresentamos cada técnica com uma história e depois demonstramos como a técnica se aplica ao design de Modelos de Negócios. Aqui e ali adicionamos exercícios e atividades sugeridos que mostrem a você, especificamente, como a técnica pode ser aplicada. Referências bibliográficas aparecem no final, para aqueles interessados em explorar cada técnica em maior profundidade.

Design

126 Insights dos Clientes

134 Ideação

146 Pensamento Visual

160 Protótipos

170 Contando Histórias

180 Cenários

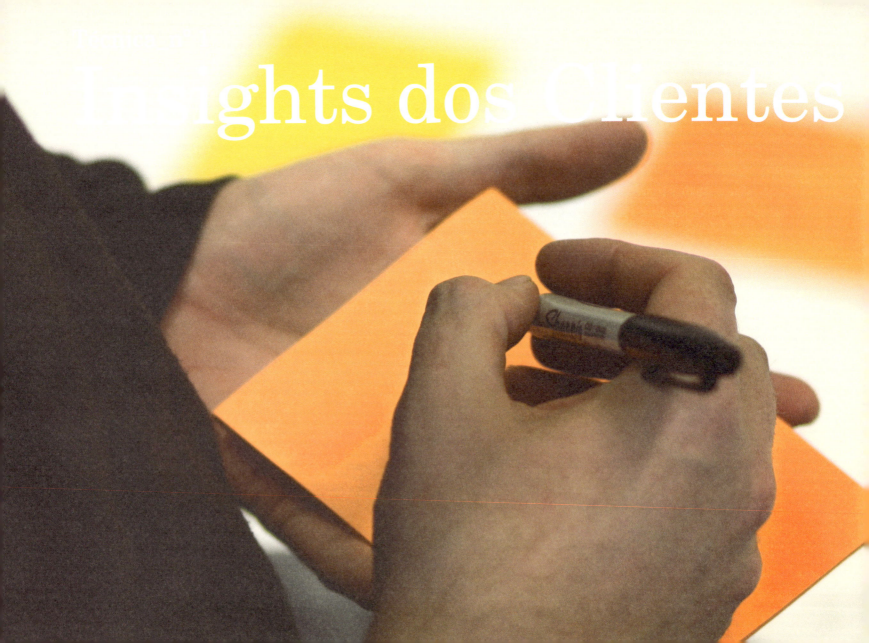

Insights dos Clientes

Dia dos Namorados, 2008

Do lado de fora de um prédio de escritórios na periferia de Oslo, Noruega, quatro adolescentes usando jaquetas estampadas com uma letra gigante e bonés de baseball estão engajados em uma empolgada discussão com um homem de cerca de 50 anos...

...os adolescentes são snowboarders, jovens e estilosos, respondendo às perguntas de Richard Ling, um sociólogo que trabalha para a Telenor, sétima maior operadora de telefonia celular no mundo. Ling entrevista o grupo como parte de um estudo para obter insights quanto ao uso de fotos e compartilhamento de fotos em redes sociais. Agora que quase todo telefone celular vem com uma câmera, o compartilhamento de fotos é de grande interesse para as operadoras. A pesquisa de Ling ajudará a Telenor entender melhor a "visão geral" do compartilhamento de fotos. Ele se concentra não apenas nos serviços existentes ou em potencial de compartilhamento de fotos por celular, mas em questões mais amplas, como o papel que o compartilhamento desempenha quanto à confiança, o sigilo, à identidade grupal e no tecido social que liga esses jovens. O trabalho permitirá à Telenor projetar e disponibilizar serviços melhores.

Construindo Modelos de Negócios a partir de Insights dos Clientes

As empresas investem pesado em pesquisa de mercado, mas ainda assim acabam negligenciando a perspectiva do cliente ao projetar produtos e serviços – e também Modelos de Negócios. Bons designers evitam este erro. Eles enxergam o Modelo de Negócios pelos olhos dos clientes, método que pode levar à descoberta de oportunidades completamente novas. Não significa que o pensamento do cliente seja o único ponto de partida para uma iniciativa inovadora, mas que devemos incluir sua perspectiva ao avaliar um Modelo de Negócio. Inovações bem-sucedidas exigem uma compreensão profunda dos clientes, incluindo seu ambiente, seu dia a dia, suas preocupações e inspirações.

O tocador digital iPod, da Apple, fornece um exemplo. A Apple compreendeu que as pessoas não estavam interessadas na mídia digital por si só. Percebeu que os clientes queriam uma maneira de buscar, encontrar, baixar e ouvir conteúdo digital, incluindo música, e estavam dispostos a pagar por uma solução boa. A visão da Apple foi única, em uma época na qual o download ilegal estava descontrolado e a maioria das empresas argumentava que ninguém estaria disposto a pagar por música na Internet. A Apple ignorou isso e criou uma experiência musical para os clientes, integrando o software de música e mídia iTunes, a loja online iTunes e o tocador digital iPod. Com essa Proposta de Valor como núcleo de seu Modelo de Negócio, a Apple dominou o mercado da música digital.

O desafio é desenvolver uma boa compreensão dos clientes, que deve servir como base na hora de fazer escolhas na construção de Modelos de Negócios. No campo do design de produtos e serviços, diversas companhias líderes trabalham com cientistas sociais para alcançar essa compreensão. Na Intel, na Nokia e na Telenor, equipes de antropólogos e sociólogos trabalham para desenvolver produtos e serviços novos e melhores. O mesmo método pode levar a Modelos de Negócios novos e melhores.

Muitas empresas de consumo líderes organizam excursões para que executivos encontrem seus clientes, conversem com equipes e visitem pontos de venda. Em outras indústrias, principalmente aquelas envolvendo investimentos pesados de capital, conversar com os clientes é parte da rotina. Mas o desafio da inovação é desenvolver uma compreensão mais profunda dos clientes e não

« *Adotar a perspectiva do cliente é um princípio básico para todo o processo de design de Modelos de Negócios. As perspectivas do cliente devem alimentar nossas escolhas em relação a Proposta de Valor, Canais de Distribuição, Relacionamento com Clientes e Fluxo de Receita.*

simplesmente perguntar o que eles querem. Como disse uma vez o pioneiro fabricante de automóveis Henry Ford: "Se eu perguntasse aos meus clientes o que eles queriam, teriam me dito 'um cavalo mais rápido'".

Outro desafio é saber quais clientes ouvir e quais clientes ignorar. Algumas vezes, os segmentos que crescerão amanhã esperam na periferia hoje. Assim sendo, inovadores devem evitar se concentrar exclusivamente nos Segmentos de Clientes existentes e se direcionar para segmentos novos ou ainda não atendidos. Diversas inovações tiveram sucesso precisamente porque satisfizeram as necessidades não atendidas de novos clientes. Por exemplo, a easyJet, de Stelios Haji-Ioannou, tornou a viagem aérea acessível a clientes de média e baixa renda, que antes raramente voavam. E a Zipcar permitiu aos moradores de grandes cidades eliminarem os prejuízos da posse de automóveis. Os clientes que pagam uma taxa anual podem alugar automóveis por hora. Ambos são exemplos de novos Modelos de Negócios construídos sobre segmentos de clientes localizados na periferia de modelos estabelecidos: aviação e locação de veículos tradicional.

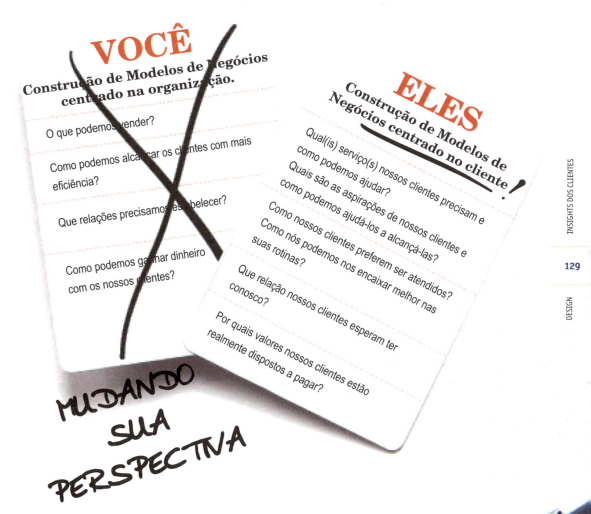

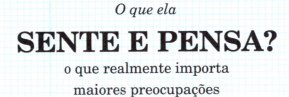

O que ela
SENTE E PENSA?
o que realmente importa
maiores preocupações
medos e aspirações

O que ela
ESCUTA?
o que os amigos dizem
o que o chefe diz
o que dizem os influenciadores

O que ela
VÊ?
ambiente
amigos
o que o mercado oferece

O que ela
DIZ E FAZ?
atitude em público
aparência comportamento
em relação aos outros

DOR
medos
frustrações
obstáculos

GANHOS
desejos / necessidades
medidas de sucesso
obstáculos

Fonte: Adaptado de XPLA

O Mapa da Empatia

Poucos de nós têm acesso a uma equipe completa de cientistas sociais, mas qualquer um que examine um Modelo de Negócio pode rascunhar perfis dos Segmentos de Clientes atendidos. Uma boa forma de começar é usar o Mapa da Empatia, ferramenta desenvolvida pela companhia de pensamento visual XPLANE. Esta ferramenta, que também gostamos de chamar de "fácil analisador de clientes", ajuda você a ir além das características demográficas e desenvolver uma compreensão melhor do ambiente, dos seus comportamentos, das suas preocupações e aspirações. Fazer isso permite desenvolver um Modelo de Negócio forte, pois o perfil vai guiar o design para melhores Propostas de Valor, maneiras mais convenientes de alcançar os clientes, e um diálogo mais apropriado com o cliente. Ele permite compreender melhor aquilo que o cliente está realmente disposto a pagar.

Como utilizar o Mapa da Empatia (do Cliente)

É assim que funciona. Primeiro, faça um brainstorm para avaliar todos os possíveis Segmentos de Clientes que quer atender utilizando seu Modelo de Negócio. Escolha três candidatos promissores e selecione um para seu primeiro exercício de perfil.

Comece dando a esse cliente um nome e algumas características demográficas, como renda, estado civil, e assim por diante. Então, visualizando o diagrama na próxima página, utilize uma tabela ou um quadro em branco para construir um perfil para seu recém nomeado cliente, perguntando e respondendo a seis perguntas:

1
O QUE ELA VÊ?
DESCREVA O QUE A CLIENTE VÊ EM SEU AMBIENTE
- Como é?
- Quem está em torno dela?
- Quem são seus amigos?
- A quais tipos de ofertas ela está exposta diariamente (em oposição ao que todo o mercado oferece)?
- Quais problemas encontra?

2
O QUE ELA ESCUTA?
DESCREVA COMO O AMBIENTE INFLUENCIA A CLIENTE
- O que os amigos dizem? Seu marido?
- Quem realmente a influencia? Como?
- Que Canais de mídia são influentes?

3
O QUE ELA REALMENTE PENSA E SENTE?
TENTE DESENHAR O QUE ACONTECE NA MENTE DA CLIENTE
- O que é realmente importante para ela (que talvez não diria publicamente)?
- Imagine suas emoções. O que a motiva?
- O que pode mantê-la acordada à noite?
- Tente descrever seus sonhos e desejos.

4
O QUE ELA DIZ E FAZ?
IMAGINE O QUE A CLIENTE PODE DIZER OU COMO SE COMPORTA EM PÚBLICO?
- Qual a atitude dela?
- O que ela pode estar dizendo para outras pessoas?
- Preste atenção principalmente nos conflitos potenciais entre o que um cliente pode dizer e o que realmente pensa e sente.

5
QUAL A SUA DOR?
- Quais são suas maiores frustrações?
- Que obstáculos existem entre ela e o que ela quer e precisa obter?
- Quais riscos teme enfrentar?

6
O QUE GANHA A CLIENTE?
- O que ela realmente quer ou precisa obter?
- Como mede o sucesso?
- Pense em algumas estratégias que pode utilizar para alcançar seus objetivos.

Fonte: Adaptado do XPLANE

Entendendo um Cliente B2B utilizando o Mapa da Empatia

Em outubro de 2008, a Microsoft anunciou planos de fornecer toda a suíte de aplicativos Office pela Internet. De acordo com o anúncio, os clientes serão, em algum momento, capazes de utilizar o Word, Excel e outros aplicativos Office através de seus navegadores. Isso exigirá da Microsoft uma significativa mudança na engenharia do seu Modelo de Negócios. Um ponto de partida para essa renovação poderia ser criar um perfil para um segmento de clientes-chave: Diretores de tecnologia da informação (CIO), que definem a estratégia de TI e tomam as decisões de compra. Como seria o perfil de um cliente CIO?

O objetivo é criar um ponto de vista do cliente para questionar continuamente suas suposições sobre o Modelo de Negócios. O perfil do cliente permite dar respostas melhores para questões como: esta Proposta de Valor resolve problemas reais? Ela estaria realmente disposta a pagar por isso? Como ela gostaria de ser atendida?

Técnica_nº 2
Ideação

MARÇO, 2007

Elmar Mock escuta com atenção enquanto Peter elabora uma ideia em meio a um mar de notas Post-it™ que cobre as paredes...

...Peter trabalha para um grupo farmacêutico, que contratou a consultoria de inovação de Elmar, a Creaholic, para ajudar com um produto inovador. Os dois homens são parte de uma equipe de inovação de seis pessoas, realizando uma reunião de três dias fora da empresa.

O grupo é deliberadamente heterogêneo, uma mistura de diferentes níveis de experiência e backgrounds. Apesar de todos os membros serem especialistas experientes, se reuniram não como técnicos, mas como consumidores insatisfeitos com a situação atual. A Creaholic os instruiu a deixar suas especialidades na porta e carregá-las apenas como uma memória distante.

Por três dias, os seis formam um microcosmo de clientes, e libertam sua imaginação para imaginar potenciais soluções inovadoras para um problema, desapegados de limitações técnicas ou financeiras. As ideias colidem e novos pensamentos emergem, então só depois de gerar uma variedade de soluções é que se pede a eles que lembrem suas especialidades e selecionem as três ideias candidatas mais promissoras.

Elmar Mock carrega consigo um longo registro de inovações pioneiras. Ele é um dos dois inventores da lendária marca de relógios Swatch. Desde então, ele e sua equipe na Creaholic já ajudaram companhias como a BMW, Nestlé, Mikron e Givaudan a inovar com sucesso.

Elmar sabe o quanto isso é difícil. Empresas novas exigem previsibilidade, descrições de serviço e projeções financeiras. Ainda assim, as inovações emergem de algo melhor, descrito como "caos sistemático". A Creaholic encontrou uma maneira para dominar esse caos. Elmar e sua equipe são obcecados com inovação.

Gerando Novas Ideias de Modelos de Negócios

___

Mapear um Modelo de Negócios existente é uma coisa; projetar um novo e inovador Modelo de Negócios é outra. Requer um processo criativo para gerar um grande número de ideias e isolar as melhores. Esse processo se chama ideação. Dominar a arte da ideação é crucial para projetar novos Modelos de Negócios viáveis.

Tradicionalmente, a maioria das indústrias era caracterizada por um Modelo de Negócio dominante. Isso mudou radicalmente. Hoje temos muito mais opções ao projetar um novo Modelo de Negócios. Atualmente, diferentes modelos competem nos mesmos mercados, e as fronteiras entre as indústrias se misturam – ou desaparecem totalmente.

Um desafio que enfrentamos ao tentar criar novas opções de Modelos de Negócios é ignorar o *status quo* e colocar de lado preocupações com questões operacionais, de modo a podermos gerar ideias realmente novas.

Inovar com Modelos de Negócios significa não olhar para trás, pois o passado indica pouco do que é possível para os Modelos de Negócios futuros. A inovação em Modelos de Negócios não tem nada a ver com observar a concorrência, já que inovar não é copiar ou comparar, mas criar novos mecanismos de criação de valor e receitas. Ao contrário, inovação em Modelos de Negócios significa desafiar as ortodoxias para projetar modelos originais que atendam a clientes insatisfeitos, novos ou que nem haviam sido considerados.

Para gerar novas e melhores opções, você precisa sonhar com suas ideias antes de estreitá-las em uma lista de opções concebíveis. Assim, a ideação possui duas fases principais: geração de ideias, onde a quantidade é o que importa, e a síntese, na qual as ideias são discutidas, combinadas e reduzidas a um pequeno número de opções viáveis. As opções não precisam, necessariamente, representar Modelos de Negócios pioneiros. Podem ser inovações que expandam os limites do modelo atual, para melhorar a competitividade.

Você pode gerar ideias para Modelos de Negócios inovadores a partir de diversos pontos de partida. Veremos dois: epicentros de inovação utilizando o Canvas de Modelo de Negócios e perguntas "e se".

Epicentros de Inovação de Modelos de Negócios

Ideias para inovar em Modelos de Negócios podem vir de qualquer lugar, e cada um dos nove fundamentos pode ser um ponto de partida. Inovações transformadoras em Modelos de Negócios afetam múltiplos componentes. Podemos distinguir quatro epicentros de inovação de Modelos de Negócios: *a partir dos recursos, a partir da oferta, a partir dos clientes, e a partir das finanças.*

Cada um dos quatro epicentros pode servir como ponto de partida para uma grande alteração no Modelo de Negócios, e cada um pode ter impacto nos outros oito componentes. Algumas vezes, a inovação pode emergir a partir de diversos epicentros. Adicionalmente, a mudança frequentemente se origina em áreas identificadas através de uma análise SWOT: uma investigação das forças, fraquezas, oportunidades e ameaças de um Modelo de Negócios (veja a pág. 216).

A Partir dos Recursos

Inovações a partir dos Recursos se originam a partir da infraestrutura existente de uma organização ou de um parceiro, para expandir ou transformar o Modelo de Negócios.

Exemplo: o Amazon Web Services foi construído sobre a infraestrutura da Amazon.com, para oferecer capacidade de servidor e espaço de armazenamento de dados para outras companhias.

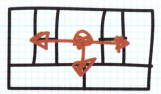

A Partir da Oferta

Inovações a partir da oferta criam novas propostas de valor que afetam os outros componentes do Modelo de Negócios.

Exemplo: quando a Cemex, fabricante mexicana de cimento, prometeu entregar cimento em obras em quatro horas, em vez do padrão de 48 horas, ela teve de transformar seu Modelo de Negócio. A inovação ajudou a transformar a Cemex de player regional à segunda maior produtora de cimento do mundo.

A partir dos Clientes

Inovações a partir de Clientes são baseadas nas necessidades do cliente, no acesso facilitado ou aumento da conveniência. Como todas as inovações que partem de um único epicentro, ela afeta os outros componentes do Modelo de Negócio.

Exemplo: a 23andMe levou testes de DNA personalizados a clientes individuais – uma oferta anteriormente disponível exclusivamente para pesquisadores e profissionais da saúde. Isso teve implicações substanciais tanto na Proposta de Valor quanto na entrega do resultado dos testes, o que a 23andMe consegue através de perfis online.

A partir das Finanças

Inovações a partir das Finanças, de mecanismos de preço ou Estruturas de Custos reduzidas, que afetam os outros componentes.

Exemplo: quando a Xerox inventou o Xerox 914 em 1958 – uma das primeiras copiadoras de papel – o preço era muito alto para o mercado. Então, a empresa desenvolveu um novo Modelo de Negócio. Ela arrendava a máquina por U$95 por mês, incluindo 2.000 cópias gratuitas, e mais cinco centavos por cópia adicional. Os clientes adquiriram as novas máquinas e começaram a fazer milhares de cópias todo os meses.

A partir de Múltiplos Epicentros

Inovações a partir de Múltiplos Epicentros podem ter impacto significativo em diversos outros componentes.

Exemplo: a Hilti, fabricante de ferramentas profissionais para construção, mudou da venda de ferramentas para o aluguel. Foi uma mudança substancial na Proposta de Valor da Hilti, mas também em suas Fontes de Receita, que mudaram de receitas por produto para receitas de serviço recorrentes.

O Poder das Perguntas "e Se"

Frequentemente, temos problemas em conceber Modelos de Negócios inovadores, porque somos segurados pelo *status quo*. O *status quo* adormece nossa imaginação. Uma maneira de superar o problema é desafiar nossas presunções iniciais com perguntas que comecem com "e se". Com os ingredientes certos, o que pensávamos ser impossível pode deixar de ser. Perguntas "e se" nos ajudam a quebrar as amarras impostas pelos modelos atuais. Elas devem nos provocar e desafiar nosso pensamento. Devem nos perturbar como proposições intrigantes e de difícil execução.

Os donos de jornais diários impressos podem se perguntar: e se interrompêssemos nossa edição impressa e nos voltássemos completamente para a distribuição digital, usando, por exemplo, o leitor de e-books da Amazon, o Kindle, ou a própria Internet? O jornal reduziria drasticamente os custos de produção e logística, mas exigiria uma compensação das receitas de anúncios e transferência dos leitores para canais digitais.

Perguntas "e se" são meros pontos de partida. Elas nos desafiam a descobrir o Modelo de Negócio que possa fazer as suposições funcionarem. Algumas perguntas "e se" podem ficar sem resposta, pois são muito provocativas. Algumas podem precisar somente do Modelo de Negócios certo para se tornarem realidade.

...compradores de móveis pegassem seus componentes em pacotes de um grande depósito e montassem os produtos eles mesmos, em casa? O que é prática comum hoje era impensável até que a IKEA introduziu o conceito na década de 1960.

...as linhas aéreas não comprassem motores para seus aviões, mas pagassem por cada hora de funcionamento? Foi assim que a britânica Rolls-Royce mudou de uma empresa em prejuízo para a segunda maior fornecedora de grandes motores a jato do mundo.

...as ligações de voz fossem gratuitas para todo o mundo? Em 2003 o Skype lançou um serviço que permitia ligações de voz gratuitas via Internet. Depois de cinco anos o Skype conseguiu 400 milhões de usuários registrados, que fizeram, no total, cerca de 100 bilhões de ligações gratuitas.

...fabricantes de carros não vendessem carros, mas fornecessem serviços de mobilidade? Em 2008, a Daimler lançou o Car2go, um negócio experimental na cidade alemã de Ulm. A frota de veículos da Car2go permite ao usuário pegar e deixar carros em qualquer lugar da cidade, pagando taxas de serviço de mobilidade por minuto.

...indivíduos pudessem emprestar dinheiro uns aos outros ao invés de pegar empréstimos bancários? Em 2005, a britânica Zopa lançou uma plataforma de empréstimos *peer-to-peer* (ponto a ponto) na Internet.

...cada morador de Bangladesh tivesse acesso a um telefone? É o que a Grameenphone buscou alcançar, em parceria com a instituição microfinanceira do Grameen Bank. Até então, Bangladesh tinha a menor densidade telefônica do mundo. Atualmente, a Grameenphone é a maior pagadora de impostos em Bangladesh.

O Processo de Ideação

O processo de ideação pode tomar diversas formas. Aqui desenhamos um método geral para produzir opções inovadoras de Modelos de Negócios.

1. COMPOSIÇÃO DE EQUIPE
PERGUNTA-CHAVE: NOSSA EQUIPE É DIVERSIFICADA O SUFICIENTE PARA GERAR IDEIAS NOVAS?

Reunir a equipe certa é essencial para gerar ideias eficientes de novos Modelos de Negócios. Os membros devem ser variados em termos de experiência, idade, tempo de empresa, representação de unidade de negócio, conhecimento do cliente e capacidade profissional.

2. IMERSÃO
PERGUNTA-CHAVE: QUAIS ELEMENTOS DEVEMOS ESTUDAR ANTES DE GERAR IDEIAS?

Idealmente, a equipe deve passar por uma fase de imersão, que inclui uma pesquisa geral, o estudo de clientes e prospectos, o escrutínio de novas tecnologias e a análise de Modelos de Negócios existentes. A imersão pode durar diversas semanas ou ser curta, com apenas alguns exercícios e workshops (ex. o Mapa da Empatia).

3. EXPANSÃO
PERGUNTA-CHAVE: QUE INOVAÇÕES PODEMOS IMAGINAR PARA CADA COMPONENTE DO MODELO DE NEGÓCIOS?

Durante essa fase, a equipe expande a gama de soluções possíveis, procurando gerar quantas ideias for possível. Cada um dos nove componentes pode servir de ponto de partida. O objetivo desta fase é quantidade, não qualidade. Reforçar as regras do brainstorming manterá as pessoas concentradas em gerar ideias em vez de censurá-las numa etapa no inicio do processo (veja a pág. 144).

4. CRITÉRIO DE SELEÇÃO
PERGUNTA-CHAVE: QUE CRITÉRIOS SÃO MAIS IMPORTANTES PARA PRIORIZAR NOSSAS IDEIAS?

Depois de expandir a gama de soluções possíveis, a equipe deve definir critérios para reduzir o número de ideias a uma quantidade gerenciável. Os critérios serão específicos ao contexto, mas incluir sempre o tempo de implementação estimado, o potencial de receita, uma possível resistência do cliente e o impacto na vantagem competitiva.

5. "PROTOTIPANDO"
PERGUNTA-CHAVE: COMO SERIA O MODELO DE NEGÓCIOS COMPLETO DE CADA IDEIA?

Com os critérios definidos, a equipe deve ser capaz de reduzir o número de ideias para uma pequena lista, priorizada, contendo de três a cinco potenciais inovações de Modelo de Negócios. Utilize o Canvas de Modelo de Negócios para rascunhar e discutir cada ideia como um protótipo (veja a pág. 160).

Reúna uma Equipe Diversificada

A tarefa de gerar novas ideias não deve ser deixada exclusivamente para aqueles que são considerados "tipos criativos". A ideação é um exercício em grupo. De fato, por sua própria natureza, a inovação exige a participação de pessoas de toda a organização. Inovar o Modelo de Negócios é criar valor explorando novos componentes do Modelo de Negócios, estabelecendo ideias inovadoras entre blocos. Pode envolver todos os nove componentes do canvas. Assim, se fazem necessárias as opiniões e ideias de pessoas que representem múltiplas áreas.

Por isso, reunir o grupo certo é um prerrequisito crucial para gerar novas ideias de Modelo de Negócios. Pensar na inovação não deve estar confinado à unidade de P&D ou ao escritório de planejamento estratégico. As equipes de inovação devem ser diversificadas. A diversidade ajuda a gerar, discutir e selecionar novas ideias. Considere trazer pessoas de fora, até mesmo crianças. A diversidade funciona. Mas certifique-se de ensinar como ouvir ativamente, considerando a participação de um intermediador neutro nas reuniões mais importantes.

Uma equipe diversificada de inovação em Modelo de Negócios tem membros...

- *De várias unidades de negócio*
- *De diferentes idades*
- *Com diferentes especialidades*
- *Com diferentes tempos de trabalho no mercado*
- *Com diferentes experiências*
- *De diferentes históricos culturais*

Regras de Brainstorming

Brainstorms de sucesso seguem uma série de regras. Reforçar essas regras ajudará você a maximizar o número de ideias bem-sucedidas que virão como resultado.

Concentre-se

Comece com uma declaração bem lapidada do problema em mãos. Idealmente, isso deve estar articulado com uma necessidade do cliente. Nã deixe a discussão vagar demais; sempre a traga de volta ao problema em si.

Reforce as regras

Esclareça inicialmente as regras e atenha-se a elas. As regras mais importantes são "não julgar", "uma discussão por vez", "quantidade é o qu importa", "pense visualmente" e "encoraje ideias malucas". Facilitadores devem reforçar as regras.

Pense visualmente

Escreva as ideias ou rascunhe em uma superfície para que todos possam vê-las. Uma boa maneira de coletar ideias é escrevê-las em notas adesivas colá-las em uma parede. Isso permite que você mova as ideias e as reagrup

Prepare

Prepare-se para o brainstorm com uma experiência de imersão no problem em questão. Pode ser uma escursão relacionada, uma discussão com os clientes, ou qualquer outro meio de imergir a equipe em questões diretamente relacionadas ao problema principal.

Adaptado de uma entrevista com Tom Kelley da IDEO na revi
Fast Company: *"Seven Secrets to Good Brainstormi*

Aquecimento: O Exercício da Vaca

Para mexer com os fluidos criativos de sua equipe, pode ser útil começar uma sessão de ideação com um aquecimento como o exercício da Vaca. É assim: instrua os participantes a rascunharem três Modelos de Negócios diferentes, usando uma vaca. Primeiro, peça que definam algumas características básicas de uma vaca (produz leite, come o dia todo, muge, etc.). Diga para utilizarem essas características para criar Modelos de Negócios inovadores, com base em uma vaca. Dê três minutos para isso.

Tenha em mente que o exercício pode dar errado, pois é bastante ridículo mesmo. Mas foi testado com executivos, contadores, gerenciadores de risco e empreendedores, geralmente com grande sucesso. O objetivo é tirar as pessoas de sua rotina de negócios e mostrar o quão prontamente podem gerar ideias ao se desconectarem do ortodoxo e deixarem a criatividade fluir.

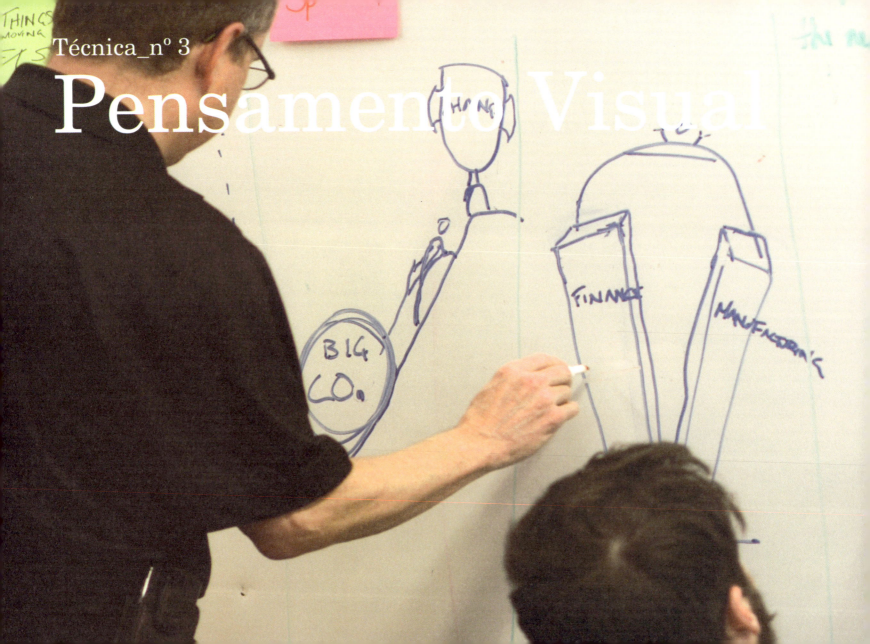

Técnica_nº 3
Pensamento Visual

Outubro, 2006

As paredes da sala de reunião estavam cobertas com grandes pôsteres nos quais um grupo de 14 pessoas fazia desenhos e colava notas adesivas. Embora a cena tivesse uma atmosfera de aula de educação artística, acontecia no quartel--general da Hewlett--Packard, a gigante de produtos e serviços de tecnologia ...

...os 14 participantes vinham de todos os setores da empresa, mas estavam todos envolvidos com gestão de informação. Eles se reuniram aqui, em um workshop de um dia, para, literalmente, fazer o desenho de como uma empresa global deve gerenciar seus fluxos de informação.

Dave Gray, fundador e presidente da consultoria XPLANE, é o mediador da reunião. A XPLANE utiliza ferramentas de pensamento visual para ajudar os clientes a esclarecer problemas, desde a estratégia corporativa até as implementações operacionais. Com um artista da XPLANE, Dave ajuda 14 especialistas da HP a obterem melhor compreensão da visão global do compartilhamento de informações em uma empresa multinacional. O grupo utiliza desenhos para discutir o compartilhamento de informações, identificar relações entre elementos, preencher lacunas e desenvolver uma compreensão conjunta de vários temas.

Com um sorriso sábio, Dave fala sobre um erro comum: que alguém não deve desenhar algo até entender. Pelo contrário, ele explica, rascunhar – mesmo que de forma rudimentar ou amadora – ajuda as pessoas a descrever, discutir e compreender melhor as questões, particularmente as de natureza complexa. Para os 14 colaboradores da Hewlett-Packard, o método de visualização da XPLANE funcionou perfeitamente. Eles se reuniram como 14 especialistas com compreensões individuais profundas, mas saíram da sala com uma imagem única de como uma empresa multinacional deve gerenciar informações. A lista de clientes da XPLANE, que parece mais uma lista das empresas mais bem-sucedidas é uma testemunha do crescente número de organizações que compreendem o valor deste tipo de pensamento visual.

O Valor do Pensamento Visual

O pensamento visual é indispensável para trabalhar com Modelos de Negócios. Por "pensamento visual", o que queremos dizer é utilizar ferramentas visuais como figuras, rascunhos, diagramas e Post-its™ para construir e discutir significados. Já que Modelos de Negócios são conceitos complexos, compostos de vários componentes e da interrelação entre eles, é difícil compreender de fato um modelo sem fazer um desenho.

Um Modelo de Negócios é mesmo um sistema onde um elemento influencia outro; ele só faz sentido como um todo. Capturar o todo sem visualizá-lo é difícil. De fato, ao representar visualmente um Modelo de Negócio, transformamos suas suposições em informações explícitas. O modelo se torna tangível e permite discussões e alterações mais claras. A técnica visual dá "vida" ao Modelo de Negócios e facilita a cooperação.

Desenhar um modelo o transforma em um objeto e uma âncora conceitual para a qual a discussão sempre pode retornar. Isso é crucial porque desloca o discurso do abstrato ao concreto e aumenta a qualidade do debate. Em geral, se você visa aprimorar um Modelo de Negócios existente, descrevê-lo visualmente revela as lacunas lógicas e facilita a discussão. Da mesma forma, se você projeta um Modelo de Negócio completamente novo, desenhá-lo permitirá que você discuta diferentes opções facilmente, adicionando, removendo e movendo as imagens.

O mundo dos negócios sempre faz uso frequente de técnicas visuais, como diagramas e tabelas. Tais elementos são muito utilizados para esclarecer mensagens em relatórios e planejamentos. Mas as técnicas visuais são utilizadas com menor frequência para discutir, explorar e definir temas de negócio. Qual foi a última vez que você participou de uma reunião onde executivos desenhassem nas paredes? Mas é justamente ao processo estratégico que o pensamento visual pode adicionar valor. O pensamento visual aprimora os questionamentos estratégicos, tornando o abstrato concreto, iluminando as relações entre os elementos e simplificando o que era complexo. Nesta seção, descrevemos como o pensamento visual pode ajudar você a cruzar o processo de definir, discutir e alterar Modelos de Negócios.

Nos referimos a duas técnicas: o uso de Post-its™ e o uso de rascunhos combinados com o Canvas de Modelo de Negócios. Também discutimos quatro processos aprimorados pelo pensamento visual: compreensão, diálogo, exploração e comunicação.

Visualizando com Notas

Um conjunto de Post-its™ é uma ferramenta indispensável para a reflexão sobre Modelos de Negócios. As notas adesivas funcionam como porta-ideias, que podem ser adicionados, removidos e facilmente deslocados entre os componentes da construção do Modelo de Negócio. Isso é importante porque, durante as discussões, pessoas frequentemente não concordam imediatamente com quais elementos devem entrar no Canvas, ou onde devem ser colocados. Durante as discussões exploratórias, alguns elementos podem ser removidos e substituídos múltiplas vezes para explorar novos caminhos.

Aqui vão três instruções simples: (1) utilize canetas grossas para escrever, (2) escreva apenas um elemento em cada Post-it™ e (3) escreva apenas poucas palavras por Post-it™, para capturar o ponto essencial. Utilizar canetas grossas é mais que um detalhe: evita que você coloque muitas informações em um único adesivo e torna mais fácil a visualização e a revisão.

Tenha em mente, também, que as discussões que levam à imagem final do Modelo de Negócio criada por todos os Post-its™ é tão importante quanto o resultado. As discussões sobre quais notas entram ou saem e os debates sobre como um elemento influencia os outros dão aos participantes uma compreensão profunda do Modelo de Negócio e sua dinâmica. Consequentemente, uma nota se torna mais que um pedaço de papel adesivo representando um componente do Modelo de Negócios; ela se torna um vetor para uma discussão estratégica.

Visualizando com Desenhos

senhos podem ser ainda mais poderosos que as notas, pois as pessoas reagem
m mais força às imagens que às palavras. As imagens apresentam suas mensagens
tantaneamente. Desenhos simples podem expressar ideias que exigiriam muitas palavras.

mais fácil do que você pensa. Um boneco palito sorridente transmite emoção. Um
nde saco de dinheiro e um pequeno saco de dinheiro transmitem proporções. O
blema é que a maioria de nós pensa não saber desenhar. Ficamos envergonhados se
sos desenhos parecem infantis ou pouco sofisticados. A verdade é que até mesmo
enhos simples, mas feitos com sinceridade, ajudam a tornar os fatos tangíveis e
preensíveis. As pessoas interpretam simples bonecos palito muito mais facilmente do
 conceitos abstratos em texto.

Os rascunhos e desenhos podem fazer diferença de diversas formas. A mais óbvia é que explicam e comunicam seu Modelo de Negócios com base em desenhos simples —explicamos como fazer isso no fim do capítulo. Outra é rascunhar um cliente típico e seu ambiente típico para ilustrar um de seus Segmentos de Clientes. Isto leva a uma discussão mais concreta e intensiva do que simplesmente resumir as características daquela pessoa textualmente. Finalmente, desenhar as necessidades e os serviços a serem prestados a um segmento é uma forma poderosa de explorar técnicas visuais.

Os desenhos provavelmente darão início a discussões construtivas a partir das quais novas ideias virão. Agora, vamos examinar quatro processos aprimorados pelo pensamento visual.

Compreenda a Essência

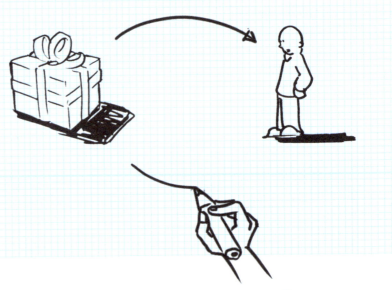

GRAMÁTICA VISUAL

O pôster do Canvas de Modelo de Negócios é um mapa conceitual, que funciona como linguagem visual, mas com uma gramática correspondente. Ela diz quais peças de informação inserir no modelo e onde. Fornece um guia visual e textual para toda a informação necessária para desenhar um Modelo de Negócio.

CAPTURANDO A VISÃO GERAL

Desenhando todos os elementos do Canvas, você imediatamente dá aos observadores uma visão do todo de um Modelo de Negócios. Um desenho fornece a quantidade certa de informações para permitir ao observador capturar a ideia, sem detalhes demais para distraí-lo. O Canvas simplifica visualmente a realidade de uma empresa com todos os seus processos, estruturas e sistemas. Em um Modelo de Negócio como o da Rolls-Royce, onde as unidades de motores a jato são alugadas por hora e não vendidas, é a imagem do todo, não das peças individuais, que é atraente.

ENXERGANDO RELAÇÕES

Compreender um Modelo de Negócio exige não apenas o conhecimento dos elementos que o compõem, mas também captar as interdependências entre elementos. Isso é mais fácil de expressar visualmente do que com palavras. Isto é ainda mais verdadeiro quando diversos elementos e relaçõ estão envolvidos. Ao descrever o Modelo de Negócios de u linha aérea de baixo custo, por exemplo, os desenhos pode eficientemente demonstrar porque uma frota homogênea d aviões é crucial para manter baixos os custos de manutenç e treinamento.

Melhore o Diálogo

NTO DE REFERÊNCIA COLETIVO

os temos nossas suposições implícitas e postar uma gem que as transforme em informações explícitas é uma elente maneira de aprimorar o diálogo. Isso transforma Modelo de Negócio em um objeto tangível, fornece um to de referência ao qual os participantes podem retornar. que as pessoas podem manter apenas um número limitado deias na memória de curto prazo, demonstrar visualmente odelo de Negócio é essencial para uma boa discussão. mesmo o mais simples dos modelos é composto por rsos componentes e interrelações.

LINGUAGEM COMUM

O Canvas é uma linguagem visual compartilhada. Ele fornece não somente um ponto de referência, mas também um vocabulário e uma gramática que ajudam pessoas a se compreender melhor. Ele se torna um poderoso catalisador de discussões concentradas sobre os elementos do Modelo de Negócio e a forma como se encaixam. Isto é de grande valia em organizações cujas estruturas se reportam à matriz, nas quais indivíduos de certas equipes podem saber pouco sobre as áreas funcionais das outras. Uma linguagem visual compartilhada suporta a troca de ideias e aumenta a coesão.

COMPREENSÃO COMPARTILHADA

Visualizar Modelos de Negócios como uma unidade é a maneira mais eficiente de obter uma compreensão compartilhada. Pessoas de diferentes partes de uma organização podem compreender profundamente partes de um Modelo de Negócios, mas carecem de um entendimento definido do todo. Quando os especialistas desenham em conjunto um Modelo de Negócios, todos os envolvidos passam a entender cada componente individual, e desenvolvem uma compreensão compartilhada das relações entre eles.

Explore Ideias

GERADOR DE IDEIAS

O Canvas de Modelo de Negócios é um pouco como uma tela de um artista. Quando um artista começa a pintar, ele em geral tem uma ideia vaga – não uma imagem exata – em mente. Ao invés de começar em um canto da tela e seguir sequencialmente, ele começa onde quer que sua musa dite e prossegue de maneira orgânica. Como disse Pablo Picasso, "eu começo com uma ideia e então ela vira outra". Picasso via as ideias como nada além de pontos de partida. Ele sabia que evoluiriam para algo novo ao serem aplicadas.

Elaborar um Modelo de Negócio não é diferente. As ideias colocadas no Canvas disparam outras novas. O Canvas se torna uma ferramenta para facilitar o diálogo de ideias – para indivíduos desenhando suas ideias ou grupos desenvolvendo idéias em conjunto.

BRINQUE

Um Modelo de Negócio visual é também uma boa oportunidade para brincar. Com os elementos de um modelo visíveis em uma parede, como notas coladas nela, você pode começar a discutir o que acontece quando remove certos elementos ou insere novos. Por exemplo, o que aconteceria ao seu Modelo de Negócio se você eliminasse o Segmentos de Clientes menos lucrativo? Você pode fazer isto? Ou precisa dele para atrair clientes lucrativos? A eliminação de clientes não lucrativos permitiria a você reduzir recursos e custos e aprimorar o serviço aos clientes lucrativos? Um modelo visual ajuda você a pensar no impacto sistêmico da modificação de um ou outro elemento.

Aprimore a Comunicação

RE COMPREENDIMENTO POR TODA A EMPRESA

ando se trata de comunicar um Modelo de Negócios e seus mentos mais importantes, uma imagem realmente vale mais mil palavras. Todos em uma organização precisam entender modelo, pois todos podem contribuir potencialmente para o aprimoramento. No mínimo, os funcionários precisam de um endimento compartilhado, de modo que possam se mover na sma direção estratégica. A descrição visual é a melhor forma criar tal compreensão compartilhada.

VENDA INTERNA

Em organizações, ideias e planos frequentemente precisam ser "vendidos" internamente em vários níveis, para reunir apoio e obter fundos. Uma poderosa história visual reforça seu apelo e pode aumentar suas chances de obter compreensão e apoio para sua ideia. Utilizar imagens ao invés de apenas palavras para contar a história fortalece o seu argumento, porque as pessoas se identificam imediatamente com as imagens. Boas imagens comunicam o estado atual da sua organização, o que precisa ser feito, como pode ser feito e como pode ser o futuro.

VENDA EXTERNA

Assim como os funcionários precisam "vender" as ideias internamente, empreendedores com planos baseados em novos Modelos de Negócios devem vendê-los para outros grupos, como investidores ou colaboradores potenciais. Elementos visuais fortes aumentam substancialmente as chances de sucesso.

Diferentes Tipos de Visualização para Diferentes Necessidades

As representações visuais de Modelos de Negócios pedem diferentes níveis de detalhe, dependendo do objetivo. O desenho do Modelo de Negócios do Skype, à direita, aponta as principais diferenças entre seu Modelo de Negócios e o de uma operadora tradicional de telecomunicações. O objetivo é apontar as diferenças impactantes entre os componentes do Skype e os tradicionais, ainda que ambas ofereçam serviços similares.

O desenho à direita do outro representando a jovem empresa alemã Sellaband, tem um objetivo diferente, e por isso é muito mais detalhado. Ele visa apresentar o todo de um Modelo de Negócios completamente novo para a indústria da música: com uma plataforma que permite o patrocínio por parte do público de músicos independentes. A Sellaband utiliza esse desenho para explicar seu inovador Modelo de Negócios para investidores, parceiros e funcionários. A combinação de imagens e textos se mostrou muito mais eficaz na execução da tarefa que palavras por si só.

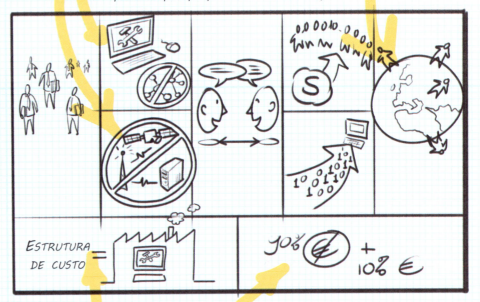

- Os Recursos e as Atividades-Chave do Skype lembram aqueles de uma companhia de software, pois seu serviço é baseado em um programa de computador que utiliza a Internet para fazer ligações telefônicas. Considerando sua base de usuários de +400 milhões, a companhia tem custos bastante baixos de infraestrutura. De fato, não possui ou opera qualquer rede de telecomunicação.

- Desde o começo, o Skype foi uma operadora global de voz, pois seu serviço era entregue através da Internet sem as restrições das redes tradicionais. Seu negócio é altamente ampliável.

- Embora forneça um serviço de telecomunicação, o Modelo de Negócios do Skype apresenta a lógica de uma empresa de software, não a de uma operadora de telecomunicações.

- Noventa por cento dos usuários do Skype nunca pagam nada. Apenas em torno de 10 por cento são clientes pagantes. Diferente das operadoras tradicionais de telecomunicação, os Canais e Relacionamentos do Skype são altamente automatizados. Eles não exigem quase nenhuma intervenção humana, assim, são relativamente baratos.

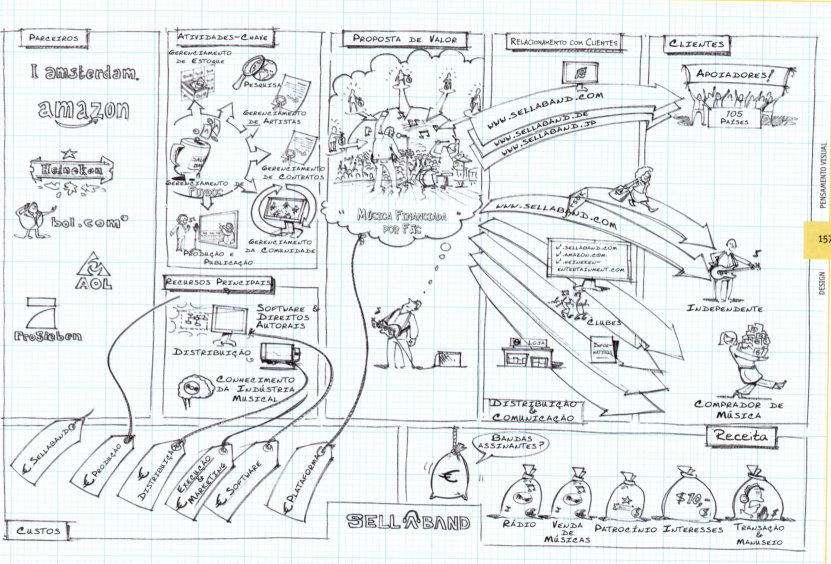

Contando uma História Visual

Uma ótima maneira de explicar um Modelo de Negócios é contar uma história, uma imagem de cada vez. Apresentar uma descrição completa dentro do Canvas de Modelo de Negócios pode sufocar uma audiência. É melhor apresentar o modelo peça por peça. Você pode fazer isto desenhando uma peça após a outra, ou utilizando um programa como o PowerPoint. Uma alternativa é pré-desenhar todos os elementos de um Modelo de Negócios em Post-its™, então dispô-los um após o outro enquanto explica o modelo. Isso permite que o público siga a construção do modelo e os elementos visuais complementam a explicação.

Atividade de Narração Visual

1
MAPEIE SEU MODELO DE NEGÓCIOS

- Comece mapeando uma versão simples e textual do seu Modelo de Negócios.
- Escreva cada elemento do Modelo de Negócios em um Post-it™ individual.
- O mapeamento pode ser feito individualmente ou em grupo.

2
DESENHE CADA ELEMENTO DO MODELO DE NEGÓCIO

- Uma por vez, pegue cada Post-it™ e substitua-o por um desenho representando seu conteúdo.
- Mantenha as imagens simples, sem muitos detalhes
- A qualidade do desenho não importa, desde que a mensagem seja transmitida.

3
DEFINA A LINHA NARRATIVA

- Decida quais Post-its™ você colocará primeiro quando contar sua história.
- Experimente diferentes caminhos. Você pode começar com os Segmentos de Clientes, ou talvez com a Proposta de Valor.
- Basicamente, qualquer ponto de partida é possível se ele apoiar efetivamente sua história.

4
CONTE A HISTÓRIA

- Conte a história do seu Modelo de Negócios uma imagem por vez.

  Observação: dependendo do contexto e de suas preferências pessoais, você pode preferir algo automatizado, como o PowerPoint ou o Keynote. Entretanto, é improvável que sistemas produzam o efeito surpresa positivo do método dos Post-its™.

Verão, 2000

Com uma expressão próxima do pânico, Richard Boland Jr., professor de Gestão da Weatherhead School, observava enquanto Matt Fineout, arquiteto da Gehry & Associates, casualmente destruía os planos para um novo prédio da escola...

...Boland e Fineout haviam trabalhado dois dias inteiros para remover cerca de 500 metros quadrados da planta projetada pelo arquiteto/estrela Frank Gehry, deixando espaço necessário para uma sala de reuniões e um equipamento de escritório.

Ao fim da maratona de planejamento, Boland suspirou de alívio. "Finalmente está pronto", ele pensou. Mas naquele exato momento, Fineout se ergueu da cadeira, rasgou o documento e atirou tudo no lixo, não se preocupando em guardar um único pedaço do árduo trabalho da dupla. Ele respondeu à expressão de choque do Professor Boland com um suave dar de ombros e um gentil comentário. "Já provamos que *podemos* fazê-lo; agora precisamos pensar em *como* queremos fazê-lo."

Em retrospectiva, Boland descreve o incidente como um exemplo extremo do incansável método de questionamento experimentado por ele durante o trabalho com o grupo Gehry para o novo prédio da Weatherhead. Durante a fase de design, Gehry e sua equipe fizeram centenas de modelos com diferentes materiais e tamanhos variados, apenas para explorar novas direções. Boland explicou que o objetivo da atividade de prototipagem era muito mais que um mero teste ou uma aprovação de ideias. Era uma metodologia para explorar diferentes possibilidades, até que emergisse uma realmente boa. Ele mostra que a prototipagem, como praticada pelo grupo Gehry, é parte central de um processo de questionamento que ajuda os participantes a ter uma noção melhor do que falta na sua compreensão inicial de uma situação. Isso traz possibilidades completamente novas, dentre as quais pode ser identificada uma correta. Para o Professor Boland, a experiência com a Gehry & Associates foi transformadora. Ele agora compreende como as técnicas de design, incluindo a prototipagem, contribuem para soluções melhores para todos os problemas de negócios. Com o parceiro Fred Collopy e outros colegas, Boland agora lidera o conceito de Gestão por Design: a integração de pensamento, habilidades e experiências do design no currículo do MBA da Weatherhead. Os estudantes utilizam ferramentas de design para desenhar alternativas, acompanhar as situações de um problema, transcender limites tradicionais e criar protótipos.

Valor do Protótipo

A prototipagem é uma ferramenta útil para o desenvolvimento de Modelos de Negócios inovadores. Como o pensamento visual, ela torna tangíveis conceitos abstratos e facilita a exploração de novas ideias. A prototipagem vem das disciplinas do design e da engenharia, onde é amplamente utilizada para o design de produtos. Ela é menos comum na administração devido à natureza menos tangível do comportamento e da estratégia organizacionais. Embora a prototipagem há muito desempenhe seu papel na interseção de negócios e design, por exemplo, no design de produtos industriais, em anos recentes ela ganhou impulso em áreas como o design de processos, de serviços e até mesmo no design de organização e estratégia. Aqui, mostramos como a prototipagem pode fazer uma contribuição importante ao design de Modelo de Negócios.

Embora utilizem o mesmo termo, os designers de produtos, arquitetos e engenheiros têm compreensões distintas do que significa um "protótipo". Nós enxergamos os protótipos como representações de potenciais Modelos de Negócios: ferramentas que servem ao propósito da discussão, de questionamentos e provas de conceitos. Um protótipo de Modelo de Negócios pode tomar a forma de um desenho simples, um conceito completamente descrito com o Canvas ou uma planilha que simula os aspectos financeiros de um novo negócio.

É importante compreender que um protótipo de Modelo de Negócios não é, necessariamente, um rascunho bruto de como ficará o modelo finalizado. Um protótipo é uma ferramenta pensante, que nos ajuda a explorar diferentes direções nas quais podemos levar nosso Modelo de Negócio. O que significa adicionar outro segmentos de clientes? Quais são as consequências de eliminar um recurso caro? E se dermos algo de graça e substituirmos essa fonte de receita por algo mais inovador? Produzir e manipular um protótipo nos força a lidar com questões de estrutura, relação e lógica de formas indisponíveis com meros pensamentos ou meras discussões. Para realmente compreender os prós e contras de diferentes possibilidades e estender nosso questionamento, precisamos construir múltiplos protótipos do nosso Modelo de Negócio em diferentes níveis de refinamento. A interação com os protótipos produz ideias muito mais rapidamente que a discussão. Modelos de negócio prototípicos podem estimular o pensamento e até mesmo parecerem um pouco loucos, levando-nos a pensar mais além. Eles se tornam faróis, apontando direções não imaginadas, não servindo só de representação de Modelos de Negócios a serem implementados. O "questionamento" deve significar uma busca incansável pela melhor solução. Apenas depois de um profundo questionamento podemos efetivamente pegar um protótipo para refinar e executar – depois de nosso design ter amadurecido.

Pessoas de negócios devem demonstrar, em geral, uma de duas reações ao processo de questionamento. Alguns podem dizer, "essa é uma boa ideia, se apenas tivéssemos tempo de explorar diferentes opções". Outros dirão que um estudo de mercado seria uma forma igualmente boa de gerar novos modelos. Ambas reações se baseiam em preconceitos.

A primeira supõe que deixar tudo como sempre ou fazer pequenas melhorias aqui e ali seja suficiente para sobreviver no atual ambiente competitivo. Acreditamos que este caminho leva à mediocridade. Negócios que deixam de aproveitar o tempo para desenvolver e prototipar ideias pioneiras se arriscam à marginalização, ou a serem ultrapassados por competidores mais dinâmicos – ou pelo surgimento de desafiadores insurgentes, que vão parecer surgir do nada.

A segunda reação parte do princípio de que os dados sejam as considerações mais importantes ao se projetar novas opções estratégicas. Não são. A pesquisa de mercado é uma de muitas contribuições ao processo longo e trabalhoso de prototipagem de Modelos de Negócios com potencial para superar a concorrência e desenvolver mercados inteiramente novos.

Onde você quer estar? No topo, porque aproveitou o tempo para prototipar Modelos de Negócios? Ou nas margens, pois estava muito ocupado sustentando seu modelo existente? Estamos convencidos de que Modelos de Negócios inovadores sempre vêm de questionamentos profundos e incansáveis.

Atitude de Design

"Se você congela uma ideia muito cedo, você se apaixona por ela. Se você a refina muito rápido, fica apegado a ela e fica difícil continuar explorando, buscando o melhor. A crueza dos modelos iniciais, em particular, é proposital."

Jim Glymph, Gehry Partners

Como pessoas do mundo dos negócios, quando vemos um protótipo tendemos a nos concentrar em sua forma física ou suas representações, enxergando algo que modela, ou encapsula a essência, vendo aquilo que prevemos ver. Na profissão de design, a prototipagem desempenha um papel na visualização e nos testes antes da implementação. Mas também desempenha outro papel muito importante: é uma ferramenta de questionamento. Nesse sentido, ela serve como auxiliar de pensamento, para explorar novas possibilidades. Ela nos ajuda a desenvolver uma compreensão melhor daquilo que pode vir a ser.

Essa mesma atitude pode ser aplicada à inovação dos Modelos de Negócios. Fazendo um protótipo de um Modelo de Negócios podemos explorar aspectos particulares de uma ideia: novas fontes de receita, por exemplo. Os participantes aprendem sobre os elementos de um protótipo enquanto o constroem e o discutem. Como discutido anteriormente, os protótipos de Modelos de Negócios variam em termos de escala e refinamento. Acreditamos que seja importante pensar em um número de possibilidades de modelos básicos antes de desenvolver um *case* para um modelo específico. Esse espírito de questionamento é chamado de "atitude de design", pois é tão central às profissões da área, como descobriu o Professor Boland. Os atributos da "atitude de design" incluem a disposição para explorar ideias ainda cruas, rapidamente descartá-las, então dedicar tempo a examinar as múltiplas possibilidades antes de optar por refinar algumas das ideias – e aceitar as incertezas, até que uma direção amadureça. Isso não acontece naturalmente para administradores, mas são exigências na geração de novos Modelos de Negócios. A "atitude de design" exige mudar a sua orientação de tomada de decisão a fim de criar opções para fazer a escolha.

Protótipos em Diferentes Escalas

o design arquitetônico ou de produtos, é fácil compreender que significam protótipos em diferentes escalas, pois tamos falando de artefatos físicos. O arquiteto Frank ehry e o designer de produtos Philippe Starck constroem contáveis protótipos durante um projeto, variando e desenhos e modelos brutos a protótipos completos e aborados. Podemos aplicar as mesmas variações de escala e tamanho ao prototipar Modelos de Negócios, porém de maneira mais conceitual. Um protótipo de Modelo de Negócios pode ser qualquer coisa, desde um rascunho bruto de uma ideia em um guardanapo a um detalhado Canvas de Modelo de Negócios, até um Modelo de Negócio testado na prática. Você pode se perguntar: como isso difere do desenho de ideias de negócios, algo que qualquer administrador ou empreendedor faz. Por que precisamos chamar de "prototipagem"?

Há duas respostas. Primeiro, o raciocínio é outro. Segundo, o Canvas fornece a estrutura para facilitar a exploração.

O protótipo de um Modelo de Negócio é um raciocínio que chamamos, como já foi dito, de "atitude de design". É uma dedicação sem concessões a descobrir novos e melhores modelos, fazendo o rascunho de muitos protótipos – tanto brutos quanto mais detalhados – representando muitas opções estratégicas. Não se trata de contornar apenas ideias que você realmente planeja implementar. Trata-se de explorar ideias novas, talvez absurdas ou até mesmo impossíveis, adicionando ou removendo elementos de cada protótipo. Você pode experimentar com protótipos em diferentes níveis.

SCUNHE NO GUARDANAPO

SENHE E AFINE UMA IDEIA UTA

SENHE UM CANVAS DE DELO DE NEGÓCIOS. SCREVA A IDEIA UTILIZANDO ENAS OS ELEMENTOS NCIPAIS.

- Desenhe a ideia
- Inclua a Proposta de Valor
- Inclua as principais Fontes de Receita

CANVAS ELABORADO

EXPLORE O QUE SERIA NECESSÁRIO PARA A IDEIA FUNCIONAR.

DESENVOLVA UM CANVAS MAIS ELABORADO PARA EXPLORAR TODOS OS ELEMENTOS NECESSÁRIOS PARA FAZER O MODELO FUNCIONAR.

- Desenvolva um Canvas completo
- Pense sua lógica de negócio
- Estime o potencial do mercado
- Compreenda a relação entre os componentes
- Verifique seus fatos

CASE DE NEGÓCIO

EXAMINE A VIABILIDADE DA IDEIA

TRANSFORME O CANVAS EM UMA PLANILHA PARA ESTIMAR O POTENCIAL DE LUCRO DO SEU MODELO.

- Crie um Canvas completo
- Inclua os dados principais
- Calcule custos e receitas
- Estime o potencial de lucro
- Execute cenários financeiros com base em diferentes suposições

TESTE DE CAMPO

INVESTIGUE A ACEITAÇÃO DO CLIENTE E A POSSIBILIDADE DE EXECUÇÃO

VOCÊ DECIDIU POR UM POTENCIAL NOVO MODELO DE NEGÓCIOS, E AGORA QUER TESTAR EM CAMPO ALGUNS DOS SEUS ASPECTOS.

- Prepare um caso de negócios bem justificado para o novo modelo
- Inclua clientes possíveis ou reais no teste prático
- Teste a Proposta de Valor, os Canais, os mecanismos de preço e/ou outros elementos no mercado.

Oito Protótipos de Modelos de Negócios para Publicar um Livro

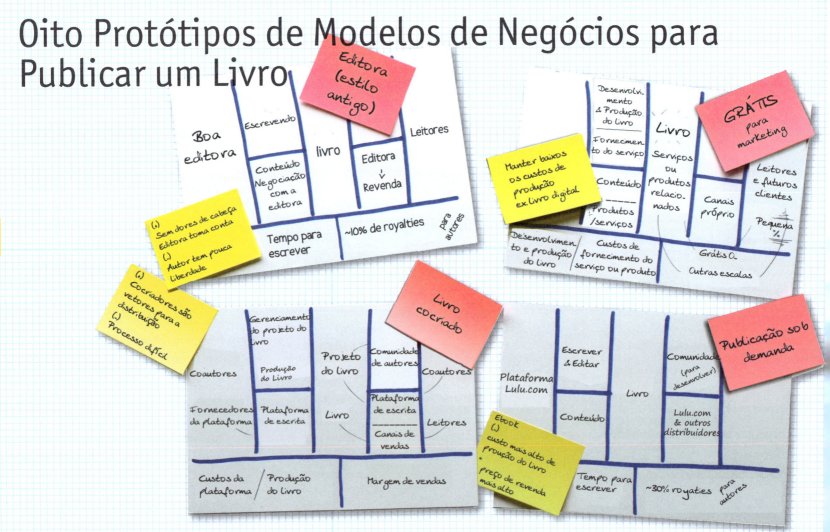

Aqui estão oito protótipos de Modelos de Negócios diferentes descrevendo possíveis formas de publicar um livro. Cada protótipo destaca diferentes elementos de seu modelo.

Um protótipo raramente descreve todos os elementos do Modelo de Negócios "real". Ele se concentra mais nos aspectos particulares do modelo, e assim indica novas direções para exploração.

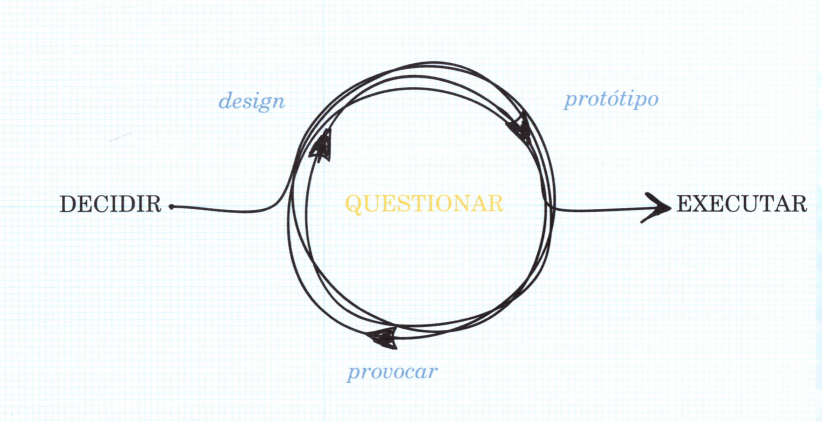

Procura-se: Um Novo Modelo de Negócios para Consultoria

John, 55 anos
Fundador e CEO
Consultoria Estratégica
210 funcionários

John Sutherland precisa da sua ajuda. John é o fundador e presidente de uma firma de consultoria global de médio porte, cujo foco é aconselhar empresas em questões estratégicas e organizacionais. Ele procura uma perspectiva nova, externa, pois acredita que seu negócio precisa ser repensado.

John construiu sua companhia ao longo de duas décadas e atualmente emprega 210 pessoas em todo o mundo. O foco de sua consultoria é ajudar executivos a desenvolverem estratégias eficientes, aprimorar sua gestão estratégica e realinhar suas organizações. Ele compete diretamente com a McKinsey, a Bain e com Roland Berger. Um problema que enfrenta é seu tamanho: é menor que seus principais competidores, mas ainda assim muito maior que a maioria das consultorias estratégicas de nicho. Mas John não está preocupado com isso, já que sua empresa vai razoavelmente bem. O que realmente preocupa é a reputação ruim da consultoria estratégica, a percepção crescente por parte do cliente de que o modelo de cobrança com base em horas e no projeto está ultrapassado. Embora a reputação da sua própria firma seja boa, ele tem ouvido de muitos clientes que acham que os preços são muito altos, os resultados muito abaixo do esperado e que recebem pouca dedicação.

Tais comentários preocupam John, pois ele acredita que seu ramo emprega algumas das mentes mais brilhantes do mundo dos negócios. Depois de muito pensar, ele concluiu que a reputação é resultado de um Modelo de Negócios datado e agora quer transformar o método da própria companhia. John quer fazer da cobrança por horas e por projetos uma coisa do passado, mas não está muito certo sobre como chegar lá.

Ajude John, com uma nova perspectiva sobre Modelos de Negócios para consultoria.

1
DEFINA AS GRANDES QUESTÕES

- Pense no cliente típico da consultoria estratégica
- Selecione o segmento e a indústria de sua escolha
- Descreva cinco das maiores questões relacionadas à consultoria estratégica. Consulte o Mapa de Empatia (veja a pág. 131).

2
GERE POSSIBILIDADES

- Dê outra olhada nas cinco questões que você selecionou.
- Gere quantas ideias de Modelos de Negócios você conseguir.
- Selecione as cinco ideias que considere melhores (não necessariamente as mais realistas). Consulte o Processo de Ideação (veja a pág. 134).

3
FAÇA UM PROTÓTIPO DO MODELO DE NEGÓCIOS

- Escolhas as três ideias mais diversas das cinco geradas.
- Desenvolva três protótipos conceituais de Modelo de Negócios, desenhando os elementos de cada ideia em diferentes Canvas.
- Anote os prós e contras de cada protótipo.

Técnica_nº 5
Contando Histórias

Primavera, 2007

Já havia passado da meia noite enquanto Anab Jain assistia os últimos vídeos que fez durante o dia...

...ela está trabalhando em uma série de pequenos filmes para a Colebrook Bosson Saunders, premiada empresa de design e fabricante de móveis para escritório. Anab é designer e contadora de histórias, e os filmes que faz são parte de um projeto para ajudar a Colebrook Bosson Saunders a explicar o futuro do trabalho e do local de trabalho. Para tornar o futuro tangível, ela inventou três protagonistas e os levou até 2012. Ela deu a eles novos empregos, com base em pesquisas sobre tecnologias emergentes e no impacto de dados demográficos e dos riscos ambientais em nossa vida futura. Mas ao invés de descrever 2012, Anab assumiu o papel de narradora, visitando esse ambiente futuro e entrevistando os protagonistas. Cada um explicou seu trabalho e mostrou os objetos que usa. Os filmes são reais o suficiente para fazer com que os espectadores se envolvam com a história e fiquem intrigados com o ambiente diferente. É exatamente isso o que as empresas que a contratam, como a Microsoft e a Nokia, querem: histórias que tornem futuros potenciais tangíveis.

Valor das Histórias

Pais leem histórias para seus filhos, às vezes as mesmas histórias que escutaram quando eram crianças também. Compartilhamos as últimas fofocas da empresa com nossos colegas de trabalho. E contamos histórias pessoais aos nossos amigos. Por algum motivo, é apenas em nosso papel como gestores que evitamos contar histórias. É uma pena. Quando foi a última vez em que você escutou uma história sendo usada para apresentar e discutir uma questão de negócios? A narração é uma arte subestimada e subutilizada no mundo dos negócios. Vamos examinar como ela pode servir como uma poderosa ferramenta para tornar mais tangíveis os Modelos de Negócios.

Por sua própria natureza, Modelos de Negócios inovadores podem ser difíceis de descrever e compreender. Eles desafiam o *status quo*, organizando coisas de maneira não familiar. Eles forçam os ouvintes a abrirem as mentes para novas possibilidades. A resistência é a única reação possível a um modelo não familiar. Assim sendo, descrever novos Modelos de Negócios de uma maneira que vença a resistência é crucial.

Assim como o Canvas ajuda você a desenhar e analisar um novo modelo, a narrativa ajudará você a comunicar com eficiência o assunto de que ele trata. Boas histórias atraem ouvintes, então a história é a ferramenta ideal para gerar uma discussão profunda de um Modelo de Negócios e sua base. A narração tira proveito do poder do Canvas minimizando a descrença sobre o desconhecido.

Por Que Contar uma História?

APRESENTANDO O NOVO

Novas ideias de Modelos de Negócios podem surgir em qualquer lugar de uma organização. Algumas podem ser boas, outras podem ser medíocres, e algumas podem ser, bem, completamente inúteis. Mas até mesmo as ideias impressionantes podem ter dificuldades para ultrapassar camadas de gerentes e encontrar caminho até a estratégia da empresa. Então, vender com eficiência suas ideias para a liderança é crucial. É aqui que as histórias podem ajudar. Definitivamente, os gerentes estão interessados em números e fatos, mas a apresentação correta pode ganhar sua atenção. Uma boa história é uma poderosa forma de rapidamente explicar uma ideia genérica, antes de se amarrar aos detalhes.

APRESENTANDO PARA INVESTIDORES

Se você é um empreendedor, é provável que esteja apresentando sua ideia ou seu modelo para investidores ou acionistas em potencial (e você já sabe como os investidores param de escutar assim que você anuncia ser o próximo Google). O que os investidores e outros acionistas querem saber é: como você criará valor para os clientes? Como você vai ganhar dinheiro? Este é o cenário perfeito para uma história. É a forma ideal para apresentar seu empreendimento e Modelo de Negócios antes de entrar no plano de negócios detalhado.

MOTIVANDO PESSOAS

Quando uma organização passa de um Modelo de Negócios antigo para um novo, ela deve convencer seus colaboradores a irem junto. As pessoas precisam de uma compreensão clara do modelo novo e do que ele representa para elas. Resumindo, a organização precisa motivar seus funcionários. É aqui que a tradicional apresentação de PowerPoint normalmente falha. Apresentar um novo Modelo de Negócios com uma história (seja com PowerPoint, desenho ou outras técnicas) deve conectar os ouvintes. Capturar sua atenção e curiosidade cimenta o caminho para apresentações profundas e discussões sobre o desconhecido.

Torne o Novo Tangível
Explicar um Modelo de Negócios novo e não testado é como explicar uma pintura apenas com palavras. Mas contar uma história de como o modelo cria valor é como aplicar cores brilhantes em uma tela. Deixa tudo mais concreto.

Esclarecimento
Contar uma história que ilustre como seu Modelo de Negócios soluciona um problema do cliente é uma forma clara de apresentar a ideia. As histórias trazem o convencimento necessário para a subsequente explicação do modelo com mais detalhes.

Motivando Pessoas
As pessoas são movidas mais por histórias que por lógica. Apresente com calma o novo e desconhecido à plateia, construindo a lógica do seu modelo em uma narrativa comovente.

Tornar Tangíveis os Modelos de Negócios?

O objetivo de contar uma história é apresentar um novo Modelo de Negócios de maneira concreta e engajadora. Conte uma história simples e tenha apenas um protagonista. Dependendo do público pode utilizar protagonistas diferentes, com as mais variadas perspectivas. Aqui estão dois pontos de partida possíveis.

perspectiva da COMPANHIA

FUNCIONÁRIO OBSERVADOR

Explique o Modelo de Negócios na forma de uma história, contada a partir da perspectiva de um funcionário. Utilize o funcionário como um protagonista que demonstra por que o novo modelo faz sentido. Pode ser porque o funcionário costuma observar problemas que o novo modelo soluciona. Ou porque o novo modelo torna melhor ou diferente o uso de recursos, atividades ou parcerias (ex.: redução de custos, aprimoramento da produtividade, novas fontes de receita, etc.). Nesta história, o empregado personifica as funcionalidades internas de uma organização e de seu Modelo de Negócios e demonstra os motivos da transição para o novo modelo.

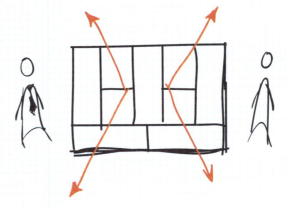

perspectiva do CLIENTE

CLIENTE OBSERVADOR

A perspectiva do cliente é um excelente ponto de partida para uma história. Escale um cliente como protagonista e conte a história dele. Demonstre os desafios que enfrenta e que mudanças precisam ser feitas. Então, descreva como sua organização cria valor para ele. A história pode descrever o que ele recebe, como isso se encaixa em sua vida e o que ele está disposto a pagar por isso. Adicione um pouco de dramaticidade e emoção à história descrevendo como sua organização está deixando a vida dele mais fácil. Construa sua história sobre o método usado pela sua empresa para executar esse trabalho para o cliente, com quais recursos e quais atividades. O maior desafio é manter a história autêntica e evitar um tom superficial ou condescendente.

Tornando o Futuro Tangível

Histórias oferecem uma maravilhosa maneira de misturar a realidade com ficção. Servem de ferramenta para apresentar diferentes versões do futuro. Podem ajudar você a desafiar o *status quo* ou justificar a adoção de um novo Modelo de Negócios.

MODELO DE NEGÓCIOS ATUAL

QUAL MODELO DE NEGÓCIOS FUTURO?

MODELO DE NEGÓCIOS FUTURO PLANEJADO

PROVOQUE IDEIAS

Algumas vezes, o único propósito de uma história é desafiar o *status quo* da organização. Tal história deve apresentar um ambiente futuro, competitivo, no qual o Modelo de Negócios atual seja severamente desafiado ou tenha até mesmo ficado obsoleto. Contar uma história assim confunde os limites entre realidade e ficção catapulhando os ouvintes ao futuro. Isso os faz entrar no clima da história, cria uma sensação de urgência e abre os olhos da audiência para a necessidade de gerar novos Modelos de Negócios. A história pode ser contada da perspectiva tanto da organização quanto de um cliente.

JUSTIFICAR A MUDANÇA

Algumas vezes, uma organização tem ideias fortes sobre a evolução do contexto competitivo. Nesse contexto, o propósito de uma história é demonstrar como um novo modelo está idealmente adequado para ajudar a empresa a competir nesse novo contexto. As histórias temporariamente afastam o medo ao desconhecido e ajudam as pessoas a imaginar como o Modelo de Negócios atual deve evoluir para continuar eficaz. O protagonista pode ser um cliente, um funcionário ou um gerente do alto escalão.

Desenvolvendo a História

O objetivo de narrar uma história é apresentar um novo Modelo de Negócios de uma maneira atraente e tangível. Mantenha a história simples e utilize apenas um protagonista. Dependendo da audiência, você pode utilizar protagonistas diferentes com perspectivas diferentes. Aqui estão dois pontos de partida possíveis.

Perspectiva da Empresa
Ajit, 32, Gerente de TI, Amazon.com

Ajit trabalha na Amazon.com como gerente de TI há nove anos. Ele e seus colegas já viraram incontáveis noites cuidando da estrutura global que atende e mantém o negócio de vendas online da companhia.

Ajit tem orgulho do seu trabalho. Junto com a excelente capacidade de entrega (**1**, **6**), a poderosa infraestrutura da Amazon.com e a capacidade de desenvolvimento de software (**2**, **3**) formam o coração do seu sucesso em vender de tudo, desde livros até móveis, pela Internet (**7**). A Amazon (**8**) teve mais de meio bilhão de *pageviews* (**9**) em 2008, e investiu mais de um bilhão de dólares em tecnologia e conteúdo (**5**), principalmente para executar suas operações de e-commerce.

Mas agora Ajit está ainda mais empolgado, pois a empresa está indo muito além de suas ofertas de varejo tradicional. Está no caminho para se tornar um dos mais importantes fornecedores de infraestrutura em e-commerce.

Com um serviço chamado Amazon Simple Storage Systems (Amazon S3) (**11**), eles agora utilizam sua própria infraestrutura de TI para oferecer armazenamento online para outras empresas, a preços muito baixos. Isso significa que um serviço de hospedagem de vídeos pode armazenar todos os vídeos de seus clientes nos servidores da Amazon, ao invés de comprar e manter seus próprios servidores. De maneira similar, a Amazon Elastic Computing Cloud (Amazon EC2) (**11**) oferece as capacidades computacionais da Amazon para clientes externos.

Ajit sabe que pessoas de fora podem enxergar tais serviços como meras distrações da Amazon.com da sua operação primária. Mas de uma perspectiva interna, entretanto, a diversificação faz perfeito sentido.

Ajit lembra que, há quatro anos, sua equipe investiu muito tempo coordenando os esforços dos grupos de engenharia de rede, que gerenciavam a infraestrutura, e os de programação de aplicativos, que gerenciavam os muitos sites da Amazon. Então, ele decidiu construir as chamadas interfaces de programação de aplicativo (APIs) (**12**) entre as duas camadas, o que permitiria que a última fosse facilmente construída sobre a anterior. Ajit também se recorda exatamente de quando começou a perceber que isso seria útil tanto para clientes externos quanto internos. Sob a liderança de Jeff Bezos, a Amazon decidiu criar um novo negócio com potencial para gerar uma fonte de receita significativa para a companhia. A Amazon.com abriu as APIs de sua infraestrutura para fornecer o que chama de Amazon Web Services a grupos externos. cobrando uma taxa por cada serviço (**14**). Já que a Amazon tinha de desenvolver, criar, implementar e manter sua própria estrutura de qualquer forma, oferecê-la para terceiros não seria uma distração.

E-commerce

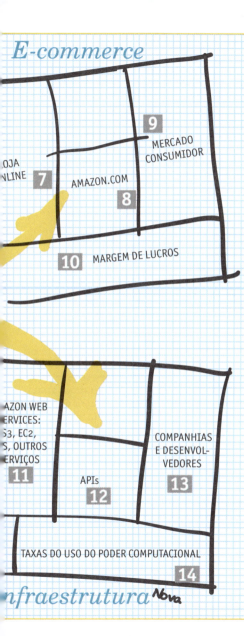

Perspectiva do Cliente
Randy, 41, Empreendedor da Web

Randy é um apaixonado empreendedor da Web. Depois de 18 anos na indústria de software, ele agora tenta um novo recomeço, fornecendo software empresarial via Web. Ele investiu 10 anos de sua carreira em grandes companhias de software e oito anos em iniciativas próprias. Durante sua carreira, fez um esforço constante para realizar, de forma correta, investimentos de infraestrutura. Para ele, manter servidores funcionando era uma necessidade básica, mas complexa, por conta dos enormes custos envolvidos. A gestão dos detalhes era crucial; quando você começa um negócio próprio você não pode investir milhões em servidores.

Mas quando se está atendendo o mercado empresarial, é melhor ter uma infraestrutura de TI robusta. Por isso, Randy ficou intrigado quando um amigo da Amazon falou sobre os novos serviços de infraestrutura que sua companhia estava lançando. Essa poderia ser a resposta para uma das funções mais importantes de Randy: poder executar seus serviços em uma infraestrutura de primeira, ser capaz de responder a um aumento rápido na demanda, tudo isso pagando apenas por aquilo que sua companhia está realmente utilizando. É exatamente isso o que a Amazon Web Services promete (11). Com a Amazon Simple Storage Systems (Amazon S3), Randy pode se conectar à infraestrutura da Amazon através da assim chamada interface de programação de aplicativos (API) (12) e armazenar todos os dados e aplicativos de seu próprio trabalho nos servidores da empresa. O mesmo vale para a Amazon's Elastic Computing Cloud (Amazon EC2). Randy não precisou construir e manter sua própria infraestrutura para aumentar seus números. Ele simplesmente se conectou com a Amazon e utilizou seu poder computacional, pagando por hora (14).

Ele logo compreendeu porque o serviço foi lançado pela Amazon e não pela IBM ou pela Accenture. A Amazon fornecia e mantinha sua infraestrutura de TI (2, 3, 5) para atender seu negócio de varejo online (7) todos os dias, em escala global. Essa era sua principal competência. Dar o passo para oferecer os mesmos serviços para outras companhias (9) não exigia muito esforço. E já que a Amazon.com estava em um negócio de varejo de baixa margem (11) tinha de ser extremamente eficiente nos custos (5), o que explica os baixos preços de seus novos serviços web.

Técnicas

A narração de uma história cativante pode ser feita de diversas maneiras. Cada técnica tem vantagens e desvantagens e está melhor adequada para certas situações e certos públicos. Escolha uma técnica adequada depois de entender qual será sua audiência e o contexto no qual você vai se apresentar.

	Palavra & Imagem	**Vídeo**	**Interpretação**	**Texto & Imagem**	**Quadrinhos**
DESCRIÇÃO	Contar a história de um protagonista e seu ambiente utilizando uma ou diversas imagens.	Contar a história de um protagonista e seu ambiente utilizando vídeo para misturar a realidade com ficção.	Fazer com que as pessoas interpretem os papéis dos protagonistas da história para tornar o cenário real e tangível.	Contar a história de um protagonista e seu ambiente utilizando texto e uma ou diversas imagens.	Utilizar uma série de imagens de cartoon para contar a história de um protagonista de forma tangível.
QUANDO?	Apresentação em grupo ou conferência.	Transmissão para grande público ou utilização interna para decisões com importantes implicações financeiras.	Workshops onde os participantes apresentam uns aos outros ideias recém-desenvolvidas de Modelos de Negócios.	Relatórios ou transmissões para grandes audiências.	Relatórios ou transmissões para grandes audiências.
TEMPO E CUSTO	Baixo	Médio para alto	Baixo	Baixo	Baixo para médio

Modelo de Negócios da SuperToast, Inc.

Comece praticando suas habilidades de narração com este exercício simples e um pouco bobo: o Modelo de Negócios da SuperToast, Inc., desenhado no Canvas abaixo. Você pode começar onde quiser: Clientes, Proposta de Valor, Recursos Principais, qualquer lugar. Invente sua história. As únicas limitações são as nove imagens que descrevem o Modelo de Negócios da SuperToast, Inc. Experimente contar a história diversas vezes, começando a partir de diferentes componentes. Cada ponto de partida dará à história um estilo sutilmente diferente e enfatizará aspectos diferentes do modelo.

A propósito, esse é um método maravilhoso para apresentar o Canvas de Modelo de Negócios a um "não iniciado" de forma simples e motivadora – com uma história.

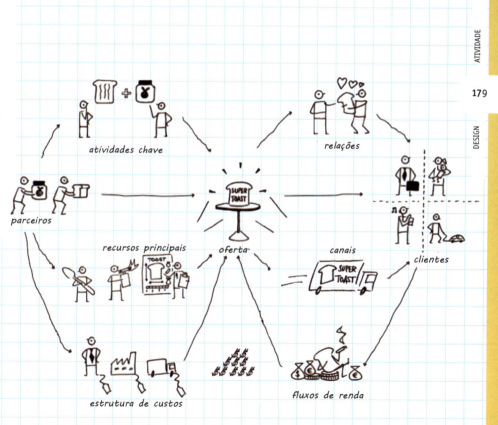

Técnica_nº 6
Cenários

FEVEREIRO, 2000

O Professor Jeffrey Huang e Muriel Waldvogel parecem perdidos em pensamentos enquanto ponderam modelos em escala da Swisshouse, o novo edifício do Consulado Suíço a ser construído em Boston, Massachusetts...

...Huang e Waldvogel foram contratados para conceber o design arquitetônico do edifício, que, em vez de conceder vistos, servirá como centro de networking e troca de conhecimento. Os dois estão estudando diversas probabilidades de como as pessoas utilizarão a Swisshouse. E construíram tanto modelos físicos quanto escreveram roteiros, projetados para tornar concreto o propósito desse prédio governamental sem precedentes.

Um cenário descreve Nicolas, um neurocirurgião que acabou de se mudar para Boston, vindo da Suíça. Ele visita a Swisshouse para encontrar cientistas da mesma corrente de pensamento e outros membros da comunidade suíço-americana. Um outro conta a história de um tal Professor Smith, que utiliza a Swisshouse para apresentar sua pesquisa do laboratório de mídias do MIT à comunidade suíça de Boston e a acadêmicos de duas universidades suíças, utilizando uma conexão de internet de banda larga.

Esses cenários, embora simples, são resultado de intensa pesquisa a respeito do papel que o novo tipo de consulado pode desempenhar. As histórias ilustram as intenções do governo suíço e servem como ferramentas de pensamento para guiar o design do edifício. A nova construção deve acomodar eficientemente as funções imaginadas e satisfazer seus objetivos.

Hoje, uma década depois de sua concepção, a Swisshouse tem uma reputação impressionante de ajudar a construir laços internacionais mais fortes nas comunidades de ciência e tecnologia de Boston. Sob a bandeira da Swiss Knowledge Network, ou swissnex, a Swisshouse inspirou edifícios "irmãos" em Bangalore, São Francisco, Xangai e Singapura.

Design de Modelo de Negócios Guiado por Cenários

Cenários podem ser úteis para guiar o design de novos Modelos de Negócios ou inovar modelos existentes. Como o pensamento visual (pág. 146), os protótipos (pág. 160) e as narrativas (pág. 170), os cenários tornam concreto o abstrato. Para os propósitos deste livro, digamos que sua função principal é guiar o processo de desenvolvimento do Modelo de Negócios, no contexto de um design específico e detalhado.

Aqui discutimos dois tipos de cenários. O primeiro descreve diferentes tipos de clientes: como os produtos ou serviços são utilizados, quem os utiliza, preocupações, desejos e objetivos. Tais cenários se baseiam em insights do cliente (pág. 126), mas vão um passo além, incorporando conhecimento sobre ele em um conjunto de imagens. Descrevendo uma situação específica, um cenário de cliente visualiza seus insights.

Um segundo tipo descreve ambientes futuros nos quais um Modelo de Negócios pode competir. O objetivo aqui não é prever o futuro, mas imaginar possíveis futuros. Este exercício ajuda inovadores a refletirem sobre os Modelos de Negócios mais apropriados para cada ambiente futuro. A literatura estratégica discute a prática em detalhes com o nome de "planejamento de cenários". Aplicar estas técnicas na inovação de modelos obriga a refletir sobre como um deles pode precisar evoluir sob certas condições. Isto aguça a compreensão do modelo e das potenciais adaptações. Mais importante, nos ajuda a estar preparados para o futuro.

TORNAR CONCRETO

Direções

**DESIGN
BEM-INFORMADO**

Explore Ideias

Os cenários dos clientes nos guiam durante o design do Modelo de Negócios. Eles nos ajudam a lidar com questões tais como a escolha dos canais mais apropriados, que relações será melhor estabelecer e por quais soluções os clientes estarão mais dispostos a pagar. Uma vez gerados os cenários para diferentes segmentos, podemos nos perguntar se um único Modelo de Negócios é suficiente para servir a todos – ou se precisaremos adaptá-lo para cada nicho.

Apresentamos três cenários diferentes, descrevendo serviços de localização que fazem uso de sistemas de posicionamento global (o GPS). Eles guiam o design de um Modelo de Negócios, mas foram deixados propositalmente abertos para permitir questionamentos específicos em torno das Propostas de Valor, dos Canais de Distribuição, dos Relacionamentos com Clientes, das Fontes de Receita. Os cenários são escritos a partir do ponto de vista de uma operadora de serviços de telefonia trabalhando para desenvolver Modelos de Negócios inovadores.

O SERVIÇO DE ENTREGA EM CASA

Tom sempre sonhou em ter seu próprio negócio. Ele sabia que seria difícil, mas ganhar a vida com a sua paixão definitivamente compensaria trabalhar mais e ganhar menos.

Tom é um aficionado por filmes cujo conhecimento cinematográfico é enciclopédico e é disso que os clientes de seu serviço de entrega de DVDs em casa tanto gostam. Eles podem perguntar sobre atores, técnicas de produção e tudo mais que for relacionado ao cinema antes de pedir filmes que serão entregues em suas portas.

Dada a formidável competição online, não é mesmo um negócio fácil. Mas Tom pode aumentar sua produtividade e seu serviço ao cliente com um novo planejador de entregas por GPS, adquirido com sua operadora de telefonia. Por uma pequena taxa, ele equipou seu telefone com um software que se integra facilmente com seu programa de relacionamento com o cliente. O software ajudou Tom a economizar tempo, ajudando-o a planejar melhor as rotas de entrega e evitar o trânsito. Ele até mesmo integrou os celulares de dois auxiliares para ajudá-lo nos finais de semana, quando há um pico de atividade. Tom sabe que seu pequeno negócio nunca o deixará rico, mas ele não trocaria sua situação por nenhum trabalho corporativo.

OS TURISTAS

Dale e Rose estão viajando para Paris para um final de semana prolongado. Eles estão empolgados porque não visitam a Europa desde a lua de mel, há 25 anos. O casal organizou essa pequena fuga do trabalho e da vida familiar apenas duas semanas antes da partida, deixando seus três filhos com parentes em Portland. Sem tempo e energia para planejar a viagem em detalhes, eles decidiram "dar um jeito". Portanto ficaram intrigados ao ler um artigo na revista de bordo sobre um novo serviço turístico via GPS, que utiliza telefones celulares. Dale e Rose, ambos fãs de tecnologia, alugaram o celular recomendado ao chegarem no aeroporto Charles de Gaulle. Agora passeiam alegremente por Paris em um *tour* proposto pelo dispositivo – tudo sem consultar um único guia turístico tradicional. Eles gostaram principalmente do guia em áudio incorporado, que sugere várias opções de histórias e informações quando eles se aproximam de certos locais. No voo de volta, Dale e Rose conversaram sobre se mudar para Paris depois da aposentadoria. Rindo, se perguntaram se o dispositivo serviria também para ajudá-los a se adaptar à cultura francesa.

O FAZENDEIRO DE VINHOS

Alexander herdou vinhedos do seu pai, que por sua vez herdou-os do avô de Alexander, que emigrou da Suíça para a Califórnia para produzir vinhos. Carregar esta história de família é um trabalho complicado, mas Alexander gosta de trazer pequenas inovações à longa tradição de produção de vinho da sua família.

Sua última descoberta foi um simples aplicativo de gestão que agora está instalado em seu telefone celular. Embora não fosse direcionado a produtores de vinho, foi desenvolvido de tal maneira que Alexander foi facilmente capaz de personalizá-lo para seus próprios fins. O aplicativo se integra com sua lista de tarefas, o que significa que agora ele tem uma lista de afazeres por GPS, que o lembra de onde e quando verificar o solo ou a qualidade das uvas. Ele já pensa em compartilhar o aplicativo com os seus gerentes. Afinal, a ferramenta só faz sentido se todos na equipe atualizarem o banco de dados de solo e qualidade das uvas.

OS TURISTAS

- O serviço deve estar baseado em um dispositivo proprietário ou um aplicativo que possa ser baixado pelo aparelho celular do cliente?
- As linhas aéreas podem servir de canais parceiros para distribuir o serviço/dispositivo?
- Que parceiros de conteúdo potenciais estariam interessados em fazer parte do serviço?
- Por qual Proposta de Valor os clientes estariam mais dispostos a pagar?

O SERVIÇO DE DELIVERY

- O valor é suficiente para motivar os clientes a pagar taxas mensais?
- Através de quais canais tais segmentos podem ser alcançados mais facilmente?
- Com que outros dispositivos e/ou softwares este serviço precisaria ser integrado?

O FAZENDEIRO DE VINHOS

- O valor é suficiente para motivar um fazendeiro a pagar uma taxa de serviço mensal?
- Através de quais canais tal segmento de clientes pode ser facilmente alcançado?
- Com que outros dispositivos e/ou softwares este serviço precisaria ser integrado?

QUESTÕES EM RELAÇÃO AO MODELO DE NEGÓCIOS:

Pode um modelo servir a todos os três Segmentos de Clientes?

Cada segmento precisa de uma Proposta de Valor específica e separada?

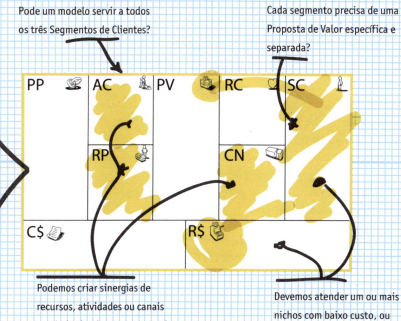

Podemos criar sinergias de recursos, atividades ou canais servindo simultaneamente todos os três segmentos de clientes?

Devemos atender um ou mais nichos com baixo custo, ou sem custos, para atrair outros clientes de maior valor?

Cenários Futuros

Cenários são outra ferramenta que nos ajuda a refletir sobre Modelos de Negócios para o futuro. Cenários impulsionam nossa criatividade, nos fornecendo contextos futuros concretos para os quais podemos inventar Modelos de Negócios apropriados. Isso é geralmente mais fácil e produtivo que fazer brainstormings livres sobre possíveis modelos futuros. Exige, entretanto, o desenvolvimento de diversos cenários, o que pode custar dinheiro, dependendo da sua profundidade e do seu realismo.

Um setor sob forte pressão para planejar novos Modelos de Negócios inovadores é o da indústria farmacêutica. Há diversos motivos para isso. A produtividade das pesquisas das principais empresas declinou nos últimos anos, e essas companhias enfrentam enormes desafios para descobrir e fazer o marketing de novos medicamentos de sucesso – tradicionalmente o núcleo de seus negócios. Ao mesmo tempo, muitas patentes rentáveis estão expirando. Isso significa que as fontes de receita destas serão perdidas para os fabricantes de medicamentos genéricos. Essa combinação é apenas uma das dores de cabeça que perturbam as empresas farmacêuticas incumbentes.

Neste contexto turbulento, o brainstorm de um Modelo de Negócios em conjunto com o desenvolvimento de uma série de cenários futuros pode ser um poderoso exercício. O cenário ajuda a ativar o pensamento inovador, o que nem sempre é fácil. Aqui está uma visão geral de como tal exercício pode ser conduzido.

Primeiro, devemos desenvolver uma série de cenários que formem a imagem do futuro da indústria farmacêutica. É melhor deixar isso para os especialistas em planejamento de cenários, que estão equipados com as ferramentas e metodologias corretas. Para ilustrar, desenvolvemos quatro esqueletos, com base em dois critérios que podem moldar a evolução da indústria farmacêutica na próxima década. Há, certamente, diversas outras motivações e muitos cenários diferentes que poderiam ser confeccionados com base em pesquisas mais profundas na indústria.

As duas motivações que selecionamos foram (1) a emergência da medicina personalizada e (2) a mudança do tratamento em direção à prevenção. A primeira está baseada nos avanços na farmacogenômica, a ciência que identifica causas fundamentais para doenças com base na estrutura do DNA. Algum dia, isso pode trazer tratamentos totalmente personalizados, com medicamentos baseados na estrutura genética de alguém. A mudança do tratamento para a prevenção é motivada em parte pela farmacogenômica, em parte pelos avanços nos diagnósticos e em parte pela renovada consciência dos custos e a crescente consciência de que a prevenção custa menos que a hospitalização e o tratamento. Tais motivações sugerem tendências que poder ou não se materializar, fornecendo assim quatro cenários ilustrados pelas seguintes figuras. São eles:

MANTER OS NEGÓCIOS COMO SEMPRE: a medicina pessoal fracassa em se materializar, apesar de sua possibilidade tecnológica (ex.: por razões de privacidade, etc.), e o tratamento continua sendo o principal gerador de renda.

MINHA.MEDICINA: a medicina pessoal se materializa, mas tratamento continua sendo o principal gerador de receita.

O PACIENTE SAUDÁVEL: a mudança em direção à medicina preventiva continua, mas a medicina pessoal permanece só como uma moda, apesar da factibilidade tecnológica.

REINVENTANDO O SETOR FARMACÊUTICO: as medicinas pessoais e preventivas se tornam as novas áreas de crescimento da indústria.

Modelos de Negócios do Setor Farmacêutico do Futuro

C) O Paciente Saudável:
- *De que tipo de Relação com o Cliente a medicina preventiva precisa?*
- *Quem são os principais parceiros que devemos envolver no desenvolvimento do novo Modelo de Negócios para a medicina preventiva?*
- *O que a mudança em direção à medicina preventiva implica para a relação entre médicos e vendedores?*

D) Reinventando o Setor Farmacêutico:
- *Qual é a nossa Proposta de Valor neste novo contexto?*
- *Que papéis os segmentos de clientes irão desempenhar em nosso novo Modelo de Negócios?*
- *Devemos desenvolver atividades relevantes, como a bioinformática e o sequenciamento genético, internamente ou através de parcerias?*

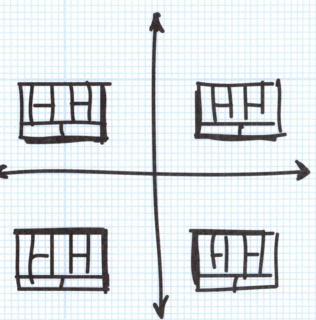

A PREVENÇÃO SE TORNA O PRINCIPAL GERADOR DE RECEITA

A MEDICINA PERSONALIZADA PERMANECE DISTANTE

A MEDICINA PERSONALIZADA SE TORNA PADRÃO

O TRATAMENTO CONTINUA COMO PRINCIPAL GERADOR DE RECEITA

A) Manter os Negócios como Sempre:
- *Como ficará nosso Modelo de Negócios no futuro caso esses dois fatores não mudem?*

B) Minha.medicina:
- *Que tipo de relacionamento teremos de estabelecer com os pacientes?*
- *Que canais de distribuição são mais apropriados para a medicina personalizada?*
- *Que recursos e atividades, como a bioinformática e o sequenciamento genético, precisamos desenvolver?*

Cenário D: Reinventando o Setor Farmacêutico

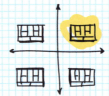

O macro-ambiente da indústria farmacêutica mudou completamente. A pesquisa farmacogenômica cumpriu sua promessa e agora é protagonista da indústria. Medicamentos personalizados para perfis genéticos individuais formam uma grande porção da receita. Tudo isso aumentou a importância da prevenção – e ela está substituindo o tratamento, graças a ferramentas de diagnóstico aprimoradas e uma melhor compreensão da ligação entre doenças e perfis genéticos individuais.

Essas duas tendências – o crescimento dos medicamentos personalizados e o aumento da importância da prevenção – transformaram completamente o Modelo de Negócios tradicional da indústria farmacêutica. As tendências têm um impacto dramático nos Recursos e nas Atividades Principais da indústria. Elas transformaram a maneira como os fabricantes se aproximam dos clientes e provocaram mudanças substanciais na geração de receita.

O novo contexto do setor farmacêutico está tendo um alto preço para os incumbentes. Vários não foram capazes de se adaptar rápido o suficiente e desapareceram ou foram adquiridos por empresas mais ágeis. Ao mesmo tempo, novas empresas com Modelos de Negócios inovadores foram capazes de adquirir fatias significativas do mercado. Algumas foram adquiridas e integradas às operações de companhias maiores, porém menos ágeis.

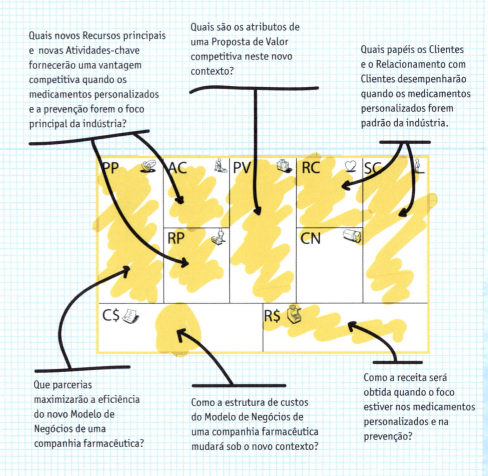

Cenários Futuros e Novos Modelos de Negócios

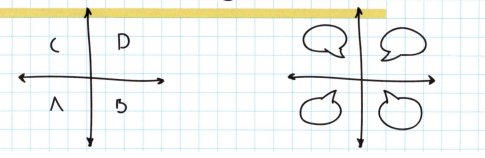

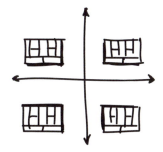

1
DESENVOLVA UM CONJUNTO DE CENÁRIOS FUTUROS COM BASE EM DOIS OU MAIS CRITÉRIOS PRINCIPAIS.

2
DESCREVA CADA CENÁRIO COM UMA HISTÓRIA QUE APONTE OS ELEMENTOS PRINCIPAIS DO CENÁRIO.

3 WORKSHOP
DESENVOLVA UM OU MAIS MODELOS DE NEGÓCIOS APROPRIADOS PARA CADA CENÁRIO.

O objetivo de combinar cenários com esforços de inovação de Modelos de Negócios é ajudar sua organização a se preparar para o futuro. O processo produz discussões significativas a respeito de um tópico difícil, pois força os participantes a se enxergarem em "futuros" concretos, apoiados em fatos concretos (embora presumidos). Quando os participantes descreverem seus Modelos de Negócios, eles devem ser capazes de argumentar claramente suas escolhas dentro do contexto específico.

Os cenários devem ser desenvolvidos antes do workshop ter início. A sofisticação do "roteiro" irá variar dependendo de seu orçamento. Tenha em mente que, uma vez desenvolvidos os cenários, eles podem ser utilizados também para outros propósitos. Até mesmo cenários simples ajudam a ativar a criatividade e projetar os participantes ao futuro.

Idealmente, você desenvolverá entre dois e quatro cenários diferentes, com base em dois ou mais critérios para executar um bom workshop de Modelo de Negócios. Cada cenário deve receber um título e ser descrito com uma narrativa curta e específica, descrevendo seus elementos principais.

Comece o workshop pedindo aos participantes para analisarem os cenários, então desenvolva um Modelo de Negócios apropriado para cada um. Caso o seu objetivo seja maximizar a compreensão do grupo de todos os futuros possíveis, você pode preferir que todos participem como uma única equipe e deixá-los desenvolver coletivamente diferentes modelos para cada cenário. Se você estiver mais interessado em gerar um conjunto de modelos bastante diverso, talvez prefira organizar os participantes em várias equipes que trabalhem paralelamente em soluções separadas para os vários cenários.

Leituras Adicionais sobre Design e Negócios

Atitude de Design

Managing as Designing
Por Richard Boland Jr. E Fred Collopy (Stanford Business Books, 2004)

A Whole New Mind: Why Right-Brainers Will Rule the Future
Por Daniel H. Pink (Riverhead Trade, 2006)

The Ten Faces of Innovation: Strategies for Heightening Creativity
Por Tom Kelley (Profile Business, 2008)

Insights do Cliente

Sketching User Experiences: Getting the Design Right and the Right Design
Por Bill Buxton (Elsevier, 2007)

Designing for the Digital Age: How to Create Human-Centered Products and Services
Por Kim Goodwin (John Wiley & Sons, Inc. 2009)

Ideação

The Art of Innovation: Lessons in Creativity from IDEO, America's Leading Design Firm
Por Tom Kelley, Jonathan Littman e Tom Peters (Broadway Business, 2001)

IdeaSpotting: How to Find Your Next Great Idea
Por Sam Harrison (How Books, 2006)

Pensamento Visual

The Back of the Napkin: Solving Problems and Selling Ideas with Pictures
Por Dan Roam (Portfolio Hardcover, 2008)

Brain Rules: 12 Principles for Surviving and Thriving at Work, Home and School
Por John Medina (Pear Press, 2009) (pág. 221-240)

Protótipos

Serious Play: How the World's Best Companies Simulate to Innovate
Por Michael Schrage (Harvard Business Press, 1999)

Designing Interactions
Por Bill Moggridge (MIT Press, 2007) (cap. 10)

Contando Histórias

The Leader's Guide to Storytelling: Mastering the Art and Discipline of Business Narrative
Por Stephen Denning (Jossey-Bass, 2005)

Made to Stick: Why Some Ideas Survive and Others Die
Por Chip Heath e Dan Heath (Random House, 2007)

Cenários

The Art of the Long View: Planning for the Future in an Uncertain World
Por Peter Schwartz (Currency Doubleday, 1996)

Using Trends and Scenarios as Tools for Strategy Development
Por Ulf Pillkahn (Publicis Corporate Publishing, 2008)

Você tem coragem para começar do zero?

O QUE ATRAPALHA SEU CAMINHO?

Em meu trabalho com ONGs, os maiores obstáculos para a inovação são **1.** Incapacidade de compreender o Modelo de Negócios existente **2.** Carência de linguagem para falar sobre inovação de Modelo de Negócios **3.** Restrições contraproducentes ao se imaginar o design de novos modelos.

Jeff De Cagna, Estados Unidos

Os gestores de uma madeireira só começaram a alterar seu Modelo de Negócios quando o banco não quis mais lhes dar crédito. O maior obstáculo para a inovação de Modelos de Negócios (no caso dessa indústria e provavelmente em todos) está nas pessoas que resistem a qualquer mudança até que um problema surja e precise ser corrigido.

Danilo Tic, Eslovênia

TODOS AMAM A INOVAÇÃO ATÉ QUE ELA OS AFETE.

O maior obstáculo para a inovação de Modelo de Negócios não é a tecnologia: somos nós, humanos, e as instituições nas quais vivemos. Ambos são teimosamente resistentes à experimentação e mudança.

Saul Kaplan, Estados Unidos

Eu descobri que a gerência e os funcionários-chaves em muitas pequenas e médias empresas carecem de estrutura e linguagem comuns para discutir a inovação de Modelos de Negócios. Eles não têm a teoria, mas são essenciais ao processo porque são eles que conhecem o negócio.

Michael N. Wilkens, Dinamarca

MEDIDAS DO SUCESSO:

elas podem direcionar o escopo e a ambição do comportamento. Em seu melhor, podem permitir a agilidade que traz verdadeiras inovações disruptivas; em seu pior, reduzem a visão a ciclos de curto prazo que fracassam em aproveitar as oportunidades dos ambientes em mutação.

Nicky Smyth, Reino Unido

Medo de se arriscar. Como um CEO você precisa de coragem para tomar uma decisão inovadora. Em 2005, a empresa de telecomunicações alemã KPN decidiu migrar para telefonia IP, e assim canibalizou seus negócios tradicionais. A KPN agora é internacionalmente reconhecida como um expoente da área.

Kees Groeneveld, Holanda

Em minha experiência com um grande depósito de documentos, o maior obstáculo foi fazê-los entender que até mesmo uma empresa desse tipo precisa de um Modelo de Negócios. Superamos isso começando um pequeno projeto e mostrando a eles que isso afetaria o modelo atual deles.

Harry Verwayen, Holanda

ENVOLVA A TODOS

e mantenha a velocidade da mudança. Para nosso conceito de reunião, o Seats-2meet.com, treinamos a equipe quase diariamente por um período de quatro meses, apenas para comunicar este novo Modelo de Negócios a todos os públicos de interesse.

Ronald van Den Hoff, Holanda

1. Anticorpos organizacionais que atacam um projeto por considerarem os recursos extraídos de sua área e conflitantes com seus objetivos de negócios. **2.** Processos de gestão que não conseguem lidar com os riscos e as incertezas associados a ideias audaciosas, fazendo com que líderes recusem ou aceitem as ideias de volta para suas zonas de conforto existentes.

John Sutherland, Canadá

O maior obstáculo é a crença de que modelos devem conter todos os detalhes — a experiência mostra que os clientes pedem muito, mas se contentam com a simplicidade, uma vez que tenham insights do próprio negócio.

David Edwards, Canadá

1. Desconhecimento: o que é um Modelo de Negócios? O que é inovação de Modelo de Negócios? **2.** Incapacidade: como inovar um Modelo de Negócios? **3.** Indisposição: por que eu deveria inovar meu Modelo de Negócios? Há alguma urgência? **4.** Combinações dos itens acima.
Ray Lai, Malásia

Em minha experiência, o maior obstáculo é a deficiência em mudar o processo de pensamento da forma linear tradicional para o holístico e sistêmico. Empreendedores precisam fazer um esforço para desenvolver a capacidade de visualizar o modelo como um sistema cujas partes interagem umas com as outras e afetam umas as outras de maneira holística e não linear.
Jeaninne Horowitz Gassol, Espanha

Como profissional de marketing na Internet por 15 anos, vi novos Modelos de Negócios nascerem e morrerem. **O que fazia a diferença era quando os principais acionistas compreendiam e então investiam no modelo.**
Stephanie Diamond, Estados Unidos

OS MODELOS MENTAIS dos executivos e do conselho de administração.
A falta de abertura e o medo de se desviar do *status quo* definem o pensamento do grupo. Executivos ficam confortáveis na fase de aproveitar e não na fase de 'explorar', que é desconhecida e, por isso, arriscada.
Cheenu Srinivasan, Austrália

Em minha experiência como empreendedor e investidor da Internet, os maiores obstáculos são falta de visão e gestão. Sem isso, a empresa perderá a onda da mudança de paradigmas da indústria e evitará reinventar o Modelo de Negócios a tempo.
Nicolas De Santis, Reino Unido

Dentro das grandes multinacionais, é crucial criar sinergias e compreensões interfuncionais. A inovação do Modelo de Negócios não se limita as restrições experimentadas pelas pessoas na organização. Para a execução bem-sucedida, é crucial ter todas as disciplinas a bordo e interconectadas!
Bas van Oosterhout, Holanda

MEDO, INCERTEZA & GANÂNCIA
das pessoas asseguradas pelo atual Modelo de Negócios...
Frontier Service Design, LLC, Estados Unidos

Uma falta de empreendedorismo da organização. Inovar é correr riscos, com sabedoria.
Se não houver espaço para insights criativos ou se as pessoas não tiverem liberdade para pensar e agir fora dos limites do modelo existente, nem sequer tente inovar: você fracassará.
Ralf de Graaf, Holanda

Em um nível organizacional, o maior obstáculo para uma companhia grande e bem-sucedida é a relutância em se arriscar a fazer qualquer coisa que possa colocar em risco o modelo atual. Na perspectiva pessoal, ou do líder, **seu sucesso provavelmente era produto do atual Modelo de Negócios...**
Jeffrey Murphy, Estados Unidos

O pensamento "Se não estiver quebrado, **não conserte**". As companhias já estabelecidas se apegam aos modos atuais de fazer negócio até que fique óbvio que os clientes querem algo diferente.
Ola Dagberg, Suécia

A FORÇA DA LIDERANÇA
pode ser um obstáculo. Gerenciamento de risco e planejamento nos mínimos detalhes colorem os propósitos de muitos conselhos de administração. Onde a inovação é compreendida como um risco, é fácil relegá-la ao mínimo esforço, especialmente dentro de instituições culturais, que tendem a não ter culturas de concorrência. A inovação morre entrincheirada, vítima de milhares de cortes infligidos pelos processos críticos de negócios, ao invés de ser colocada à frente e no centro, como combustível para estratégias futuras.
Anne McCrossan, Reino Unido

As empresas costumam desenvolver um Modelo de Negócios inovador, mas fazem um trabalho insuficiente ao construir uma estrutura de recompensas que esteja corretamente alinhada com o modelo e seus objetivos.
Andrew Jenkins, Canadá

O SUCESSO ATUAL
impede as companhias de questionarem como inovar em seu Modelo de Negócios. As estruturas organizacionais em geral não são projetadas de modo a permitir que novos Modelos de Negócios possam emergir.
Howard Brown, Estados Unidos

As companhias mais bem-sucedidas em aprimorar continuamente a eficácia de seu Modelo de Negócios frequentemente ficam cegas pelo "é assim que as coisas são feitas aqui" e não enxergam o surgimento de Modelos de Negócios inovadores.
Wouter van der Burg, Holanda

Estra

tégia

"Não há um Modelo de Negócios único... na verdade, o que há são muitas oportunidades e muitas opções, precisamos apenas descobrir todas elas."

Tim O'Reilly, CEO, O'Reilly

Nas seções anteriores, ensinamos uma linguagem para descrever, discutir, e construir Modelos de Negócios, descrevemos seus padrões, e explicamos técnicas que facilitam o design e a invenção de novos modelos. Esta seção é sobre a reinterpretação da estratégia através das lentes do Canvas de Modelo de Negócios. Isso ajudará a questionar construtivamente os Modelos de Negócios estabelecidos e examinar estrategicamente o ambiente no qual seu modelo atua.

As páginas seguintes exploram quatro áreas estratégicas: o Ambiente de Modelo de Negócios, a Avaliação de Modelos de Negócios, A Estratégia do Oceano Azul sob a ótica do Modelo de Negócios e Como Gerenciar Múltiplos Modelos de Negócios em uma empresa.

Estratégia

200 Ambiente de Modelo de Negócios

212 Avaliando Modelos de Negócios

226 A Estratégia do Oceano Azul sob a ótica do Modelo de Negócios

232 Gerenciando Múltiplos Modelos de Negócios

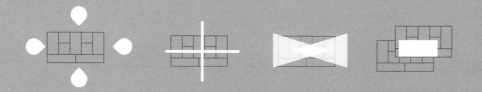

AMBIENTE DE MODELO DE NEGÓCIOS: CONTEXTO, DIRECIONADORES E RESTRIÇÕES

OS MODELOS DE NEGÓCIOS SÃO PROJETADOS E EXECUTADOS EM AMBIENTES ESPECÍFICOS. Desenvolver uma boa compreensão do ambiente da sua organização ajuda a conceber modelos mais sólidos e competitivos.

A análise constante do ambiente é agora mais importante que nunca, devido à crescente complexidade do panorama econômico (ex.: inovações tecnológicas) e à severas perturbações no mercado (ex.: turbulências econômicas, novas Propostas de Valor inovadoras). Compreender as mudanças no ambiente ajuda você a adaptar seu modelo com mais eficiência para lidar com as inconstantes forças externas.

Pode ser útil a você considerar o ambiente externo como uma espécie de "espaço de design". O que queremos dizer com isso? Pense no ambiente como um contexto no qual você concebe ou adapta seu Modelo de Negócios, levando em consideração uma variedade de direcionadores (novas necessidades dos clientes, novas tecnologias, etc.) e restrições (tendências regulatórias, concorrentes dominantes, etc.). Esse ambiente não deve, de modo algum, limitar sua criatividade ou definir seu Modelo de Negócios. Ele deve, entretanto, influenciar suas escolhas de design e ajudá-lo a tomar decisões melhor fundamentadas. Com um Modelo de Negócios inovador, você pode até mesmo se tornar um transformador do ambiente, e definir novos padrões para seu segmento de atuação.

Para uma melhor compreensão do "espaço de design" de seu Modelo de Negócios, sugerimos mapear de modo simples quatro dimensões principais. Estas seriam: (1) forças do mercado, (2) forças da indústria, (3) tendências principais e (4) forças macroeconômicas. Se você quiser aprofundar sua análise para além do mapeamento simples, cada uma dessas dimensões encontra suporte técnico em várias referências bibliográficas e ferramentas analíticas específicas.

Nas páginas seguintes, descrevemos as principais forças externas que influenciam os Modelos de Negócios e as categorizamos utilizando as quatro dimensões que acabamos de mencionar. A indústria farmacêutica, apresentada no capítulo anterior, é utilizada para ilustrar cada força externa. O setor farmacêutico provavelmente sofrerá transformações substanciais nos próximos anos, embora não esteja claro como essas mudanças ocorrerão. Será que as companhias de biotecnologia, que atualmente estão copiando o modelo de sucesso do setor farmacêutico, trarão modelos novos e pioneiros? A mudança tecnológica acarretará transformação? As demandas dos consumidores e do mercado forçarão uma mudança?

Recomendamos mapear seu próprio ambiente de negócio e refletir sobre o que as tendências indicam para o futuro da sua empresa. Uma boa compreensão do ambiente permitirá a você avaliar melhor as diferentes direções nas quais seu Modelo de Negócios pode evoluir. Você talvez queira também considerar a criação de cenários de negócios futuros (veja a pág. 186). Essa pode ser uma ferramenta valiosa para iniciar a inovação do Modelo de Negócios ou simplesmente preparar sua organização para o futuro.

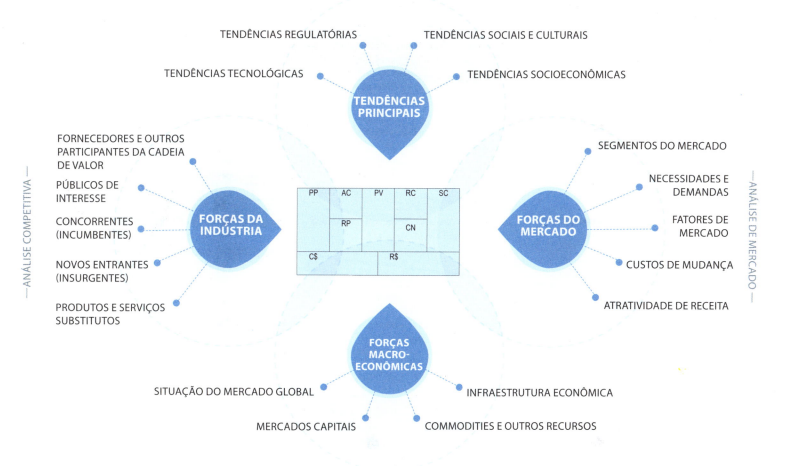

Panorama da Indústria Farmacêutica

- Gastos com os cuidados com a saúde disparam
- A ênfase passa do tratamento para a prevenção
- Serviços de tratamento, diagnóstico, dispositivos e suporte convergem
- Mercados emergentes ganham importância

- Médicos e outros fornecedores
- Governos/reguladores
- Distribuidores
- Pacientes
- Forte potencial em mercados emergentes
- Os EUA continuam o mercado global predominante

- Forte, com ampla necessidade para tratamentos de nicho
- Necessidade de gerenciar os custos crescentes do sistema de saúde
- Grandes e insatisfatórios cuidados com a saúde em mercados emergentes e nos países em desenvolvimento
- Consumidores melhor informados

- Monopólio de medicamentos patenteados
- Baixos custos de mudança para medicamentos de patente expirada, substituíveis por genéricos
- Crescente quantidade de boas informações disponíveis online
- Negócios com governos, fornecedores do sistema de saúde aumentam os custos de mudança

---

- Grandes margens de lucro em medicamentos protegidos por patentes
- Baixas margens de lucro em medicamentos genéricos
- Fornecedores de planos de saúde, governos, aproveitando sua crescente influência no preço
- Os pacientes continuam a ter pouca influência no preço

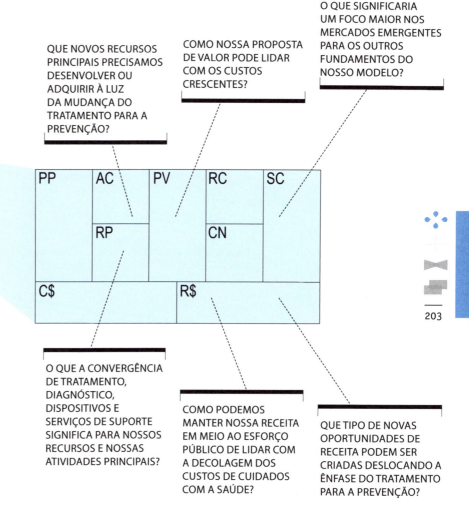

QUE NOVOS RECURSOS PRINCIPAIS PRECISAMOS DESENVOLVER OU ADQUIRIR À LUZ DA MUDANÇA DO TRATAMENTO PARA A PREVENÇÃO?

COMO NOSSA PROPOSTA DE VALOR PODE LIDAR COM OS CUSTOS CRESCENTES?

O QUE SIGNIFICARIA UM FOCO MAIOR NOS MERCADOS EMERGENTES PARA OS OUTROS FUNDAMENTOS DO NOSSO MODELO?

O QUE A CONVERGÊNCIA DE TRATAMENTO, DIAGNÓSTICO, DISPOSITIVOS E SERVIÇOS DE SUPORTE SIGNIFICA PARA NOSSOS RECURSOS E NOSSAS ATIVIDADES PRINCIPAIS?

COMO PODEMOS MANTER NOSSA RECEITA EM MEIO AO ESFORÇO PÚBLICO DE LIDAR COM A DECOLAGEM DOS CUSTOS DE CUIDADOS COM A SAÚDE?

QUE TIPO DE NOVAS OPORTUNIDADES DE RECEITA PODEM SER CRIADAS DESLOCANDO A ÊNFASE DO TRATAMENTO PARA A PREVENÇÃO?

Principais Questões

FORÇAS DA INDÚSTRIA

—ANÁLISE COMPETITIVA—

CONCORRENTES (INCUMBENTES)	Identifica concorrentes e suas forças relativas.	Quem são nossos competidores? Quem são os concorrentes dominantes no nosso setor específico? Quais são suas vantagens e desvantagens competitivas? Descreva suas ofertas principais. Em quais Segmentos de Clientes eles estão se concentrando? Qual é a Estrutura de Custo deles? Quanta influência exercem em nossos Segmentos de Clientes, nossa Fonte de Receita e nas margens de lucro?
NOVOS ENTRANTES (INSURGENTES)	Identifica novos entrantes e determina se eles competem com um Modelo de Negócios diferente do seu	Quem são os novos entrantes no mercado? Como eles se diferem? Que vantagens ou desvantagens competitivas possuem? Que barreiras devem superar? Quais são suas Propostas de Valor? Em que segmentos estão focados? Qual é sua estrutura de custos? Com que abrangência eles influenciam seus nichos, seu fonte de receita e suas margens de lucro?
PRODUTOS E SERVIÇOS SUBSTITUTOS	Descreve potenciais substitutos para suas ofertas – incluindo aqueles de outros mercados e outras indústrias	Que produtos ou serviços podem substituir os nossos? Quanto eles custam em comparação com os nossos? É fácil para os clientes trocarem para os substitutos? De que modelos tradicionais de negócio estes produtos substitutos se originam (ex.: trens de alta velocidade versus aviões, telefones celulares versus câmeras, Skype versus companhias telefônicas de longa distância)?
FORNECEDORES E OUTROS PARTICIPANTES DA CADEIA DE VALOR	Descreve os participantes principais da cadeia de valor em seu mercado e detecta competidores novos e emergentes	Quem são os participantes principais da cadeia de valor da sua indústria? Até que ponto seu Modelo de Negócios depende de outros participantes? Os participantes periféricos estão em emergência? Qual é mais lucrativo?
PÚBLICOS DE INTERESSE	Especifica quais personagens podem influenciar sua organização e seu Modelo de Negócios	Que públicos de interesse podem influenciar seu Modelo de Negócios? Qual é a real influência dos acionistas? Trabalhadores? O governo? Lobistas?

Panorama da Indústria Farmacêutica

- Diversas empresas de grande e médio portes competem na indústria farmacêutica
- A maioria das empresas luta contra linhas de produtos vazias e baixa produtividade de P&D
- Crescente tendência em direção à consolidação através de fusões e aquisições
- Principais participantes adquirem biotecnologia, desenvolvedores de drogas especializados para preencher a linha de produtos
- Diversos participantes começam a construir a partir de processos abertos de inovação

---

- Pouca mudança na indústria farmacêutica na última década
- Muitos dos novos participantes são companhias de drogas genéricas, particularmente na Índia

---

- Até certo ponto, a prevenção representa um substituto para o tratamento
- Medicamentos com patente expirada substituídos por genéricos de baixo custo

---

- Uso cada vez maior de empresas de Pesquisa de Desenvolvimento (P&D)
- Firmas de biotecnologia e desenvolvedores de medicamentos especializadas como importantes geradores de novos produtos
- Médicos e demais fornecedores
- Companhias de seguro
- Fornecedores de bioinformática crescem em importância
- Laboratórios

- Pressão dos acionistas força as empresas farmacêuticas a se concentrarem em resultados financeiros de curto prazo (trimestrais)
- Governos/agências reguladoras têm fortes interesses nas ações das companhias farmacêuticas, devido ao seu papel central nos serviços de saúde
- Lobistas, grupos de empreendimento social e/ou fundações, particularmente aquelas que perseguem objetivos como tratamentos de baixo custo para países em desenvolvimento
- Cientistas, que representam o talento principal na indústria

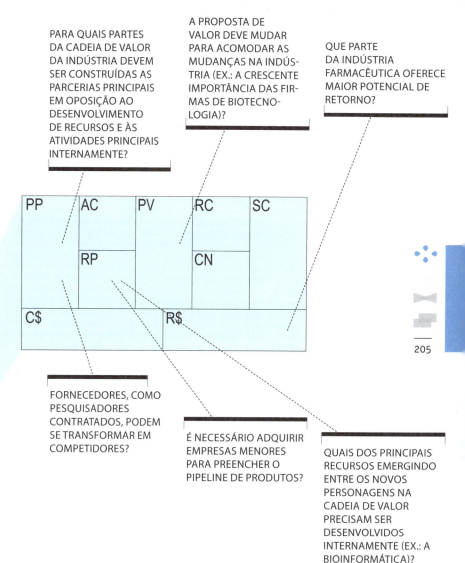

TENDÊNCIAS PRINCIPAIS
—PREVISÃO—

Principais Questões

TENDÊNCIAS TECNOLÓGICAS — Identifica tendências tecnológicas que podem ameaçar seu Modelo de Negócios – ou permitir que ele evolua ou melhore

Quais são as maiores tendências tecnológicas, tanto dentro quanto fora do seu mercado? Quais tecnologias representam oportunidades importantes ou ameaças perturbadoras. Que tecnologias emergentes os clientes periféricos estão adotando?

TENDÊNCIAS REGULATÓRIAS — Descreve regulamentos e tendências regulatórias que influenciam seu Modelo de Negócios

Que tendências regulatórias influenciam seu mercado? Que regras podem afetar seu Modelo de Negócios? Quais regulamentos e impostos afetam a demanda do consumidor?

TENDÊNCIAS SOCIAIS E CULTURAIS — Identifica as principais tendências sociais que podem influenciar seu Modelo de Negócios

Descreva as principais tendências sociais. Que mudanças nos valores culturais ou sociais afetam seu Modelo de Negócios? Quais tendências podem influenciar o comportamento do comprador?

TENDÊNCIAS SOCIOECONÔMICAS — Descreve as principais tendências socioeconômicas relevantes ao seu Modelo de Negócios

Quais são as principais tendências demográficas? Como você caracteriza a distribuição de receita e renda em seu mercado? Quão altas são as rendas disponíveis? Descreva o padrão de gastos em seu mercado (ex.: habitação, saúde, lazer, etc.). Que porção da população vive em áreas urbanas em oposição à rural?

Panorama da Indústria Farmacêutica

- Emergência da farmacogenômica, queda nos custos de sequenciamento genético e crescimento iminente da medicina personalizada
- Grande avanço nos diagnósticos
- Utilização de computação e nanotecnologia para injeção/aplicação de drogas
- Panorama regulador global heterogêneo na indústria farmacêutica
- Muitos países proíbem as companhias de drogas de comercializar diretamente aos consumidores
- Agências reguladoras pressionam pela publicação de dados sobre testes clínicos malsucedidos
- Imagem geralmente desfavorável dos grandes fabricantes de medicamentos
- Crescente consciência social entre os consumidores
- Clientes cada vez mais conscientes do aquecimento global, questões de sustentabilidade, preferem compras "ambientalmente corretas"
- Clientes estão melhor informados sobre as atividades dos fabricantes de medicamentos em países em desenvolvimento (ex. drogas para HIV/AIDS)
- Populações envelhecendo em muitos mercados
- Infraestrutura de saúde boa, porém cara, em mercados maduros
- Classe média crescente em mercados emergentes
- Grandes necessidades de cuidado com a saúde não atendidas

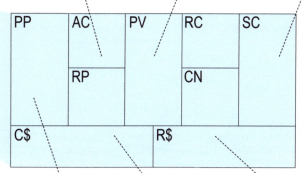

QUE NOVOS RECURSOS E NOVAS ATIVIDADES PRINCIPAIS SE MOSTRARÃO VANTAJOSAS QUANDO AS DROGAS E DIAGNÓSTICOS PERSONALIZADOS TIVEREM SEU USO AMPLIADO?

QUAIS TECNOLOGIAS PROVAVELMENTE APRIMORARÃO A COMPETITIVIDADE DA PROPOSTA DE VALOR NO DINÂMICO CENÁRIO DA INDÚSTRIA FARMACÊUTICA?

COMO OS CLIENTES REAGEM AOS NOVOS DESENVOLVIMENTOS TECNOLÓGICOS NA INDÚSTRIA FARMACÊUTICA?

QUAIS PARCERIAS SE TORNARÃO ESSENCIAIS QUANDO A FARMACOGENÔMICA TORNAR-SE PARTE INTEGRANTE DO CENÁRIO DA INDÚSTRIA FARMACÊUTICA?

COMO TECNOLOGIAS COMO A FARMACOGENÔMICA, A COMPUTAÇÃO E A NANOTECNOLOGIA AFETARÃO A ESTRUTURA DE CUSTOS DO MODELO DE NEGÓCIOS DE UMA FABRICANTE FARMACÊUTICA?

OS AVANÇOS NA FARMACOGENÔMICA, COMPUTAÇÃO OU NANOTECNOLOGIA OFERECEM NOVAS OPORTUNIDADES DE RECEITA?

— ANÁLISE MACROECONÔMICA —

FORÇAS MACRO-ECONÔMICAS

Principais Questões

SITUAÇÃO DO MERCADO GLOBAL
Descreve as condições gerais atuais sob uma perspectiva macroeconômica

A economia está em uma época de boom ou em recessão? Descreva o sentimento geral do mercado. Qual a taxa de crescimento do PIB? Como está a taxa de desemprego?

MERCADO DE CAPITAIS
Descreve as condições atuais do mercado de capitais e as necessidades da empresa de capitais

Qual o estado dos mercados capitais? É fácil obter fundos em seu mercado? Capital inicial, capital de investimento, subsídio público, mercado capital ou crédito estão prontamente disponíveis? É caro levantar fundos?

COMMODITIES E OUTROS RECURSOS
Destaca os preços atuais e as tendências de preço dos recursos exigidos ao seu Modelo de Negócios

Descreva o estado atual do mercado para commodities e outros recursos essenciais para seu negócio (ex.: preço do petróleo e custos trabalhistas). Quanto é fácil é obter os recursos necessários para executar seu Modelo de Negócios (ex. atrair talento exclusivo)? É caro? Os preços tendem a subir?

INFRAESTRUTURA ECONÔMICA
Descreve a infraestrutura econômica do mercado no qual seu negócio opera

O quanto é boa a infraestrutura pública que suporta seu mercado? Como você caracteriza a qualidade do transporte, comércio e escolas, e o acesso aos fornecedores e clientes? Os impostos individuais e corporativos são altos? Os serviços públicos para as organizações funcionam bem? Como você classificaria a qualidade de vida?

Panorama da Indústria Farmacêutica

- Recessão global
- Crescimento do PIB negativo na Europa, no Japão e nos Estados Unidos
- Taxas de crescimento mais lentas na China e na Índia
- Incerteza quanto às possibilidades de recuperação

- Mercados de Capitais fechados
- Disponibilidade de crédito restrita devido à crise bancária
- Pouco capital de investimento disponível
- Disponibilidade de capital de risco extremamente limitada

- Verdadeiras "batalhas" por profissionais talentosos
- Funcionários querem se unir a companhias farmacêuticas de imagem pública positiva
- Preços de commodities subindo
- Demanda por recursos naturais provavelmente irá superar a recuperação econômica
- Preço do petróleo continua a flutuar

- Específico da região na qual a companhia opera

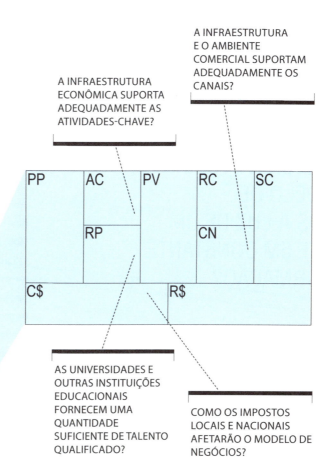

A INFRAESTRUTURA ECONÔMICA SUPORTA ADEQUADAMENTE AS ATIVIDADES-CHAVE?

A INFRAESTRUTURA E O AMBIENTE COMERCIAL SUPORTAM ADEQUADAMENTE OS CANAIS?

AS UNIVERSIDADES E OUTRAS INSTITUIÇÕES EDUCACIONAIS FORNECEM UMA QUANTIDADE SUFICIENTE DE TALENTO QUALIFICADO?

COMO OS IMPOSTOS LOCAIS E NACIONAIS AFETARÃO O MODELO DE NEGÓCIOS?

COMO DEVERIA EVOLUIR SEU MODELO DE NEGÓCIOS À LUZ DE UM AMBIENTE EM CONSTANTE TRANSFORMAÇÃO?

Um Modelo de Negócios competitivo que faça sentido no ambiente de hoje pode estar datado ou até obsoleto já amanhã. Nós precisamos aprimorar nossa compreensão do ambiente de um modelo e da sua evolução. Claro que não podemos ter certeza quanto ao futuro, devido às suas complexidades, incertezas e potenciais perturbações inerentes ao evolutivo ambiente de negócios. Podemos, entretanto, desenvolver um número de hipóteses sobre o futuro para servir de direcionamento para o design dos Modelos de Negócios do amanhã. Suposições sobre como se desdobrariam as forças do mercado, as forças da indústria, as tendências principais e as forças macroeconômicas nos dão o "ambiente de design" para desenvolver opções ou protótipos (veja a pág. 160) de Modelos de Negócios para o futuro. O papel dos cenários (veja a pág. 186) na previsão também deve ter ficado óbvio a esta altura. Criar imagens do futuro facilita muito a geração de potenciais Modelos de Negócios. Dependendo do seu próprio critério (ex. nível de risco aceitável, potencial de crescimento buscado, etc.) você pode então selecionar uma opção ou outra.

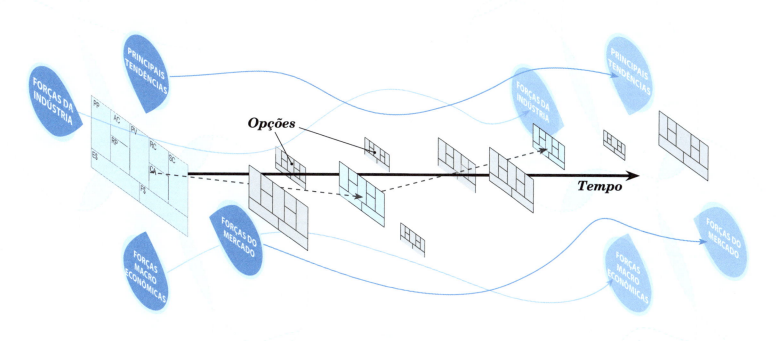

— MACROAMBIENTE ATUAL —   — MACROAMBIENTE FUTURO —

AVALIANDO MODELOS DE NEGÓCIOS

ASSIM COMO VISITAR O MÉDICO PARA UM EXAME ANUAL, ANALISAR REGULARMENTE um Modelo de Negócios é uma importante atividade de gestão, que permite que uma organização avalie a saúde de sua posição no mercado e a adapte de acordo. Este checkup pode ser a base para aprimoramentos, ou pode disparar uma séria intervenção, na forma de uma inovação do Modelo de Negócios. Como demonstraram as indústrias automotiva, jornalística e musical, deixar de conduzir checkups regulares pode impedir a detecção antecipada de problemas no Modelo de Negócios, e pode até mesmo levar ao fim de uma companhia.

Nos capítulos anteriores sobre o ambiente (veja a pág. 200), avaliamos a influência das forças externas. Neste capítulo, adotamos o ponto de vista de um Modelo de Negócios existente e analisamos as forças externas de dentro para fora.

As páginas seguintes descrevem dois tipos de análise. Primeiro, analisaremos o modelo de vendas online da Amazon.com em 2005, e descreveremos como a companhia expandiu estrategicamente aquele modelo desde então. Em seguida, fornecemos um conjunto de listas de verificação para analisar forças, fraquezas, oportunidades e ameaças (SWOT) do seu Modelo de Negócios e ajudá-lo a avaliar cada componente do Canvas de Modelo de Negócios. Tenha em mente que analisar um Modelo de Negócios à partir da perspectiva do todo e à partir da perspectiva de um componente são atividades complementares. Uma fraqueza em um fundamento, por exemplo, pode ter consequências para um ou diversos outros componentes – ou para o modelo inteiro. A análise do Modelo de Negócios, portanto, alterna entre a integração dos elementos individuais e do todo.

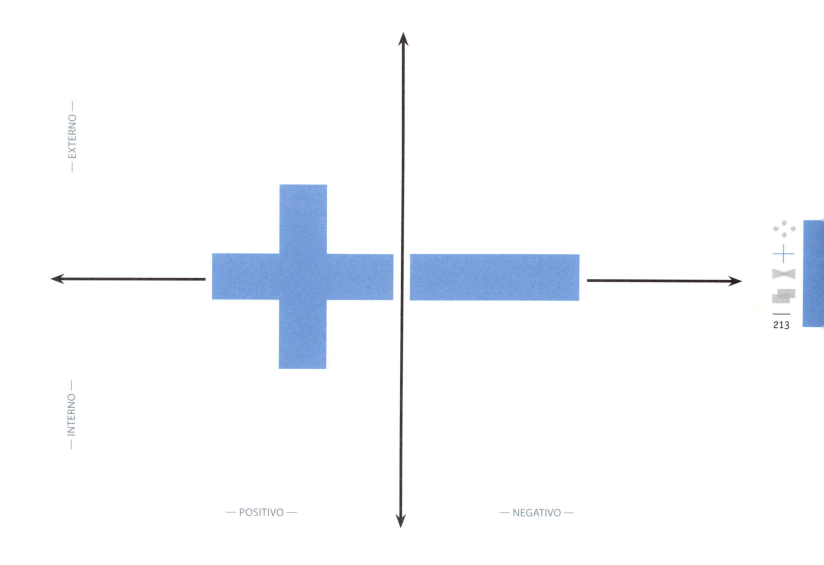

ANÁLISE DO CASO: AMAZON.COM

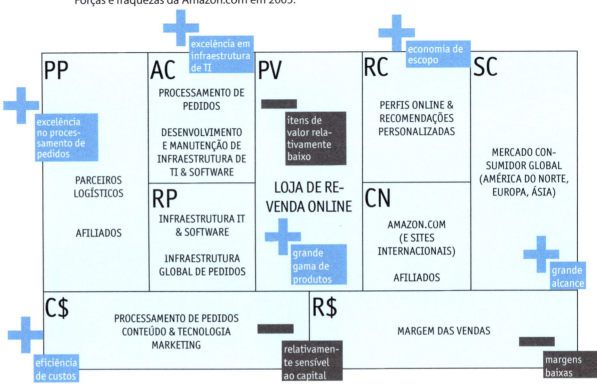

Forças e fraquezas da Amazon.com em 2005:

A Amazon serve de ilustração da implementação de inovação de Modelos de Negócios baseado em uma análise de forças e fraquezas. Já descrevemos por que fez sentido para a empresa lançar uma série de novas ofertas de serviço sob o título de Amazon Web Services (veja a pág. 176). Agora vamos examinar como aquelas novas ofertas de 2006 se relacionam com as forças e fraquezas da Amazon no ano anterior.

A análise das forças e fraquezas do seu Modelo de Negócio de 2005 revela uma enorme força e uma perigosa fraqueza. A força estava em sua extraordinária abrangência e enorme sortimento de produtos. Os principais custos da companhia estavam em atividades nas quais ela tinha excelência, processamento de pedidos ($745 milhões, ou 46,3% dos custos operacionais) e tecnologia e conteúdo ($451 milhões, ou 28,1% dos custos operacionais). A principal fraqueza do Modelo de Negócio da Amazon.com estava nas fracas margens de lucro, resultado de vender principalmente produtos de baixo custo e baixa margem como livros, CDs e DVDs.

Como revendedor online, a Amazon.com registrou vendas de $8,5 bilhões em 2005, com uma margem líquida de apenas 4,2 por cento. Na época, o Google aproveitava uma margem líquida de 23,9 por cento por vendas de $6,1 bilhões, enquanto o eBay obteve uma margem líquida de 23,7 por cento em vendas de 4,6 bilhões.

De olho no futuro, o fundador Jeff Bezos e sua equipe de gestão utilizaram um método de duas vertentes para expandir o Modelo de Negócio da Amazon. Primeiro, ele buscou aumentar o negócio de vendas online com um foco contínuo na satisfação do cliente e na eficiência no processamento de pedidos. Em segundo, eles criaram iniciativas de crescimento em novas áreas. Os gestores foram claros nas exigências para tais novas iniciativas. Elas tinham de (1) atender mercados pouco atendidos, (2) ser escalonáveis, com potencial para crescimento significativo, e (3) alavancar as competências existentes para conquistar uma forte diferenciação perante os clientes nesses mercados.

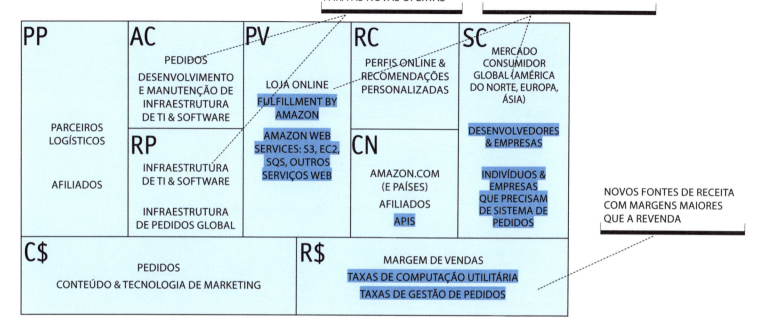

Em 2006, a Amazon se concentrou em duas iniciativas que satisfizeram as exigências acima e prometeram estender poderosamente o Modelo de Negócios já existente. O primeiro foi um serviço chamado Fulffillment by Amazon, e o segundo uma série de novos Amazon Web Services. Ambas iniciativas foram expansões das principais forças da companhia – satisfação de pedidos e expertise em TI – e ambas atenderam mercados pouco servidos. Além disso, ambas prometeram margens de lucros mais altas que o negócio principal da companhia, a venda online.

A Fulfillment by Amazon permite que indivíduos e companhias utilizem a infraestrutura de pedidos da Amazon.com para seus próprios negócios, pagando por isso. A Amazon.com armazena o estoque de um vendedor em seu depósito, então seleciona, empacota e envia em nome do vendedor quando um pedido é recebido. Os vendedores podem vender através do site da própria Amazon, pelos seus próprios canais, ou uma combinação.

O Amazon Web Services visa atender desenvolvedores de software e qualquer grupo que exija servidores de alto desempenho oferecendo armazenamento sob demanda e capacidade computacional.

O Amazon Simple Storage Systems (Amazon S3) permite aos desenvolvedores utilizarem a poderosa infraestrutura da central de dados da Amazon para suas próprias necessidades de armazenamento de dados. De maneira similar, a Amazon Elastic Compute Cloud (EC2), permite aos desenvolvedores "alugarem" servidores nos quais possam rodar seus próprios aplicativos. Graças à sua excelente técnica e a experiência sem precedentes na expansão de um site de compras online, a companhia pode oferecer ambos a preços baixíssimos e ainda assim obter altas margens em comparação com a antiga operação primária da empresa

Os investidores e analistas de investimentos ficaram, inicialmente, céticos quanto a essas estratégias. Não convencidos de que a diversificação fizesse sentido, eles questionaram os investimentos da Amazon.com em aumentar ainda mais sua infraestrutura de TI. Eventualmente, a Amazon.com venceu essa desconfiança. Ainda assim, o verdadeiro retorno dessa estratégia de longo prazo pode não ser conhecido por muitos anos –mesmo depois de mais investimentos no novo Modelo de Negócio.

ANÁLISE SWOT DETALHADA DE CADA COMPONENTE

Analisar a consistência do seu Modelo de Negócios é crucial, mas observar seus componentes em detalhes também pode revelar interessantes caminhos para inovação e renovação. Uma maneira eficiente de se fazer isso é combinando a clássica análise de forças, fraquezas, oportunidades e ameaças (SWOT - na sigla em inglês) com o Canvas de Modelo de Negócios. A análise SWOT fornece quatro perspectivas a partir das quais analisar os elementos de um Modelo de Negócios, enquanto o Canvas de Modelo de Negócios fornece o foco necessário para uma discussão estruturada.

A análise SWOT é familiar no universo das empresas. Ela é utilizada para analisar as forças e fraquezas de uma organização, e identificar oportunidades e ameaças em potencial. É uma ferramenta atraente por sua simplicidade, mas seu uso pode levar a discussões muito vagas, pois sua própria natureza aberta oferece pouco direcionamento no que diz respeito a que aspectos analisar. Como resultado, podemos ter carência de respostas úteis, o que gerou um certo cansaço da SWOT entre gerentes. Entretanto, quando combinada com o Canvas de Modelo de Negócios, a SWOT permite uma análise e uma avaliação focadas no Modelo de Negócios de uma organização e seus componentes.

A análise SWOT faz quatro perguntas simples mas amplas. As duas primeiras – quais são as maiores forças e fraquezas de sua empresa? – analisam sua organização internamente. A duas seguintes – quais oportunidades sua organização tem, e quais ameaças ela enfrenta? – analisam a posição de sua organização dentro do ambiente. Destas questões, duas buscam áreas úteis (forças e oportunidades) e duas lidam com áreas danosas. É útil fazer estas quatro perguntas com respeito tanto ao Modelo de Negócios em geral quanto a cada um dos nove fundamentos. Esse tipo de análise fornece uma boa base para maiores discussões, decisões e, de fato, inovar em de Modelos de Negócios.

As páginas seguintes contêm conjuntos (não são entediantes) de perguntas para ajudá-lo a analisar as forças e fraquezas de cada fundamento do seu Modelo de Negócio. Cada conjunto pode ajudar a iniciar suas próprias análises. Os resultados do exercício podem se tornar a base para alterações e inovações no Modelo de Negócio de sua organização.

Em seu Modelo de Negócios, quais são as...

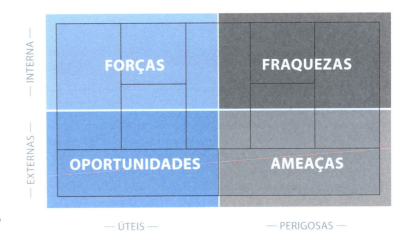

Análise da Proposta de Valor

IMPORTÂNCIA PARA MEU MODELO - DE 1 A 10

Nossas Propostas de Valor estão bem alinhadas com as necessidades dos clientes	⑤④③②①	①②③④⑤	Nossas Propostas de Valor e as necessidades dos clientes estão desalinhadas
Nossas Propostas de Valor têm forte efeito de rede	⑤④③②①	①②③④⑤	Nossas Propostas de Valor não têm efeito de rede
Há fortes sinergias entre nossos produtos e serviços	⑤④③②①	①②③④⑤	Não há sinergia entre nossos produtos e serviços
Nossos clientes estão bem satisfeitos	⑤④③②①	①②③④⑤	Temos reclamações frequentes

CERTEZA DA AVALIAÇÃO 1-10

Análise Custos/Receita

IMPORTÂNCIA PARA MEU MODELO - DE 1 A 10

Nos beneficiamos de grandes margens	⑤④③②①	①②③④⑤	Nossas margens são baixas
Nossa receita é previsível	⑤④③②①	①②③④⑤	Nossas receitas são imprevisíveis
Temos Fontes de Receita recorrentes e compras repetidas frequentes	⑤④③②①	①②③④⑤	Nossas receitas são transacionais com poucas repetições de compras
Nossas Fontes de Receita são diversificadas	⑤④③②①	①②③④⑤	Dependemos de uma única Fonte de Receita
Nossas Fontes de Receita são sustentáveis	⑤④③②①	①②③④⑤	A sustentabilidade de nossa receita é questionável
Obtemos as receitas antes de incorrer nos custos	⑤④③②①	①②③④⑤	Lidamos com altos custos antes de ter qualquer lucro
Cobramos por aquilo que os clientes estão realmente dispostos a pagar	⑤④③②①	①②③④⑤	Deixamos de cobrar por serviços pelos quais os clientes realmente estão dispostos a pagar
Nossos mecanismos de preço capturam a disposição total de pagar	⑤④③②①	①②③④⑤	Nossos mecanismos de preços deixam dinheiro na mesa

Nossos custos são previsíveis	⑤④③②①	①②③④⑤	Nossos custos são imprevisíveis
Nossa Estrutura de Custos está corretamente adequada ao nosso Modelo de Negócios	⑤④③②①	①②③④⑤	Nossa Estrutura de Custos e Modelo de Negócios não se combinam bem
Nossas operações são eficientes em custos	⑤④③②①	①②③④⑤	Nossas operações não são eficientes em custos
Tiramos proveito da economia de escala	⑤④③②①	①②③④⑤	Não tiramos proveito das economias de escala

CERTEZA DA AVALIAÇÃO 1-10

217

Análise de Infraestrutura

		IMPORTÂNCIA PARA MEU M. DE N. 1-10					CERTEZA DA AVALIAÇÃO 1-10
			Nossos Recursos Principais são difíceis para a concorrência replicar	⑤ ④ ③ ② ①	① ② ③ ④ ⑤	Nossos Recursos Principais são facilmente replicáveis	
			As necessidades de Recursos são previsíveis	⑤ ④ ③ ② ①	① ② ③ ④ ⑤	As necessidades de Recursos são imprevisíveis	
			Disponibilizamos os Recursos Principais na quantidade certa na hora certa	⑤ ④ ③ ② ①	① ② ③ ④ ⑤	Temos problemas para disponibilizar os recursos certos nos momentos certos	
			Executamos eficientemente as Atividades--Chave	⑤ ④ ③ ② ①	① ② ③ ④ ⑤	A execução das Atividades-Chave é ineficiente	
			Nossas Atividades-Chave são difíceis de copiar	⑤ ④ ③ ② ①	① ② ③ ④ ⑤	Nossas Atividades-Chave são facilmente copiáveis	
			A qualidade da execução é alta	⑤ ④ ③ ② ①	① ② ③ ④ ⑤	A qualidade da execução é baixa	
			O equilíbrio entre execução interna e terceirizada são ideais	⑤ ④ ③ ② ①	① ② ③ ④ ⑤	Executamos muitas ou poucas atividades nós mesmos	
			Estamos focados e trabalhamos com parceiros quando necessário	⑤ ④ ③ ② ①	① ② ③ ④ ⑤	Não estamos focados e perdemos oportunidades de parceria	
			Aproveitamos boas relações de trabalho com Parceiros Principais	⑤ ④ ③ ② ①	① ② ③ ④ ⑤	Nossa relação com Parceiros Principais é repleta de conflitos	

Análise da Interface com Clientes

IMPORTÂNCIA PARA MEU MODELO - DE 1-10	+		-	CERTEZA DA AVALIAÇÃO 1-10
	A taxa de evasão de clientes é baixa	⑤ ④ ③ ② ①	① ② ③ ④ ⑤ A taxa de evasão de clientes é alta	
	A base de clientes está bem segmentada	⑤ ④ ③ ② ①	① ② ③ ④ ⑤ A base de clientes não está segmentada	
	Estamos continuamente conseguindo novos clientes	⑤ ④ ③ ② ①	① ② ③ ④ ⑤ Estamos falhando em conseguir novos clientes.	
	Nossos Canais são muito eficientes	⑤ ④ ③ ② ①	① ② ③ ④ ⑤ Nossos Canais são ineficientes	
	Nossos Canais são muito eficazes	⑤ ④ ③ ② ①	① ② ③ ④ ⑤ Nossos Canais são ineficazes	
	A abrangência do Canal é forte entre nossos clientes	⑤ ④ ③ ② ①	① ② ③ ④ ⑤ A abrangência do Canal entre nossos clientes é fraca	
	Os clientes encontram nossos Canais com facilidade	⑤ ④ ③ ② ①	① ② ③ ④ ⑤ Os clientes não encontram nossos Canais	
	Os Canais estão fortemente integrados	⑤ ④ ③ ② ①	① ② ③ ④ ⑤ Os Canais estão pouco integrados	
	Os Canais proporcionam economias de escopo	⑤ ④ ③ ② ①	① ② ③ ④ ⑤ Os Canais não proporcionam economias de escopo	
	Os Canais estão bem adequados aos Segmentos de Clientes	⑤ ④ ③ ② ①	① ② ③ ④ ⑤ Os Canais estão mal adequados aos Segmentos de Clientes	
	Fortes Relacionamento com os Clientes	⑤ ④ ③ ② ①	① ② ③ ④ ⑤ Fracas Relações com os Clientes	
	A qualidade da relação se adequa corretamente aos Segmentos de Clientes	⑤ ④ ③ ② ①	① ② ③ ④ ⑤ A qualidade das relações está mal adequada aos Segmentos de Clientes	
	As relações laçam os clientes através de altos custos de alternância	⑤ ④ ③ ② ①	① ② ③ ④ ⑤ Os custos de alternância para o cliente são baixos.	
	Nossa marca é forte	⑤ ④ ③ ② ①	① ② ③ ④ ⑤ Nossa marca é fraca	

ANALISANDO AMEAÇAS

Descrevemos como os Modelos de Negócios estão situados dentro de ambientes específicos, e mostramos como as forças externas, como a concorrência, as leis e as inovações tecnológicas podem influenciar ou ameaçar um modelo de negócios (veja a pág. 200). Nesta seção, observamos ameaças específicas a cada componente do Modelo de Negócios e fornecemos um breve conjunto de perguntas para ajudá-lo a pensar em formas de lidar com cada ameaça.

Ameaças à Proposta de Valor

Há substitutos disponíveis para nossos produtos e serviços? ① ② ③ ④ ⑤

A concorrência ameaça oferecer melhor preço ou valor? ① ② ③ ④ ⑤

Ameaças ao Custo/Receita

Nossas margens estão ameaçadas por concorrentes? Pela tecnologia? ① ② ③ ④ ⑤

Dependemos excessivamente de um ou mais Fontes de Receitas? ① ② ③ ④ ⑤

Que Fontes de Receitas podem desaparecer no futuro? ① ② ③ ④ ⑤

Que custos ameaçam se tornar imprevisíveis? ① ② ③ ④ ⑤

Que custos ameaçam crescer mais que as receitas a eles associadas? ① ② ③ ④ ⑤

Ameaças à Infraestrutura

	Podemos enfrentar uma interrupção no fornecimento de certos recursos?	① ② ③ ④ ⑤
	A qualidade de nossos recursos está ameaçada de alguma forma?	① ② ③ ④ ⑤
	Que Atividades-Chave podem ser interrompidas?	① ② ③ ④ ⑤
	A qualidade de nossas atividades está ameaçada de alguma forma?	① ② ③ ④ ⑤
	Corremos o risco de perder algum parceiro?	① ② ③ ④ ⑤
	Nossos parceiros podem acabar ajudando a concorrência?	① ② ③ ④ ⑤
	Estamos muito dependentes de certos parceiros?	① ② ③ ④ ⑤

Ameaças à Interface com o Cliente

	Nosso mercado pode ficar saturado?	① ② ③ ④ ⑤
	Os concorrentes estão ameaçando nossa participação mercado?	① ② ③ ④ ⑤
	Qual a probabilidade de perdermos nossos clientes?	① ② ③ ④ ⑤
	A concorrência se intensificará muito rapidamente?	① ② ③ ④ ⑤
	Os concorrentes ameaçam nossos canais?	① ② ③ ④ ⑤
	Nossos canais correm risco de se tornar irrelevantes para os clientes?	① ② ③ ④ ⑤
	Nosso relacionamento com os clientes corre o risco de deteriorar?	① ② ③ ④ ⑤

221

ANALISANDO OPORTUNIDADES

Assim como as ameaças, podemos analisar as oportunidades que estão em cada componente do modelo de negócios. Aqui está um breve conjunto de perguntas para ajudá-lo a pensar nas oportunidades que podem emergir de cada componente do seu Modelo de Negócios.

Oportunidades para a Proposta de Valor

Pergunta	Avaliação
Podemos gerar receitas recorrentes transformando produtos em serviços?	① ② ③ ④ ⑤
Podemos integrar melhor nossos produtos ou serviços?	① ② ③ ④ ⑤
Que necessidades adicionais dos clientes podemos satisfazer?	① ② ③ ④ ⑤
Que complementos ou extensões a nossa proposta de Valor são possíveis?	① ② ③ ④ ⑤
Que outros trabalhos podemos fazer em prol de nossos clientes?	① ② ③ ④ ⑤

Oportunidades de Custo/Receita

Pergunta	Avaliação
Podemos substituir nossas receitas de transações únicas por receitas recorrentes?	① ② ③ ④ ⑤
Por que outros elementos os clientes estariam dispostos a pagar?	① ② ③ ④ ⑤
Temos oportunidades de venda cruzada internamente ou com parceiros?	① ② ③ ④ ⑤
Que outras Fontes de Receita podemos adicionar?	① ② ③ ④ ⑤
Podemos aumentar preços?	① ② ③ ④ ⑤
Onde podemos reduzir custos?	① ② ③ ④ ⑤

Oportunidades em Infraestrutura

	Podemos utilizar recursos de menor custo com os mesmos resultados?	① ② ③ ④ ⑤
	Que Recursos Principais podem funcionar melhor se terceirizados?	① ② ③ ④ ⑤
	Que Recursos Principais são subaproveitados?	① ② ③ ④ ⑤
	Temos propriedade intelectual não utilizada que possa ter valor para outros?	① ② ③ ④ ⑤
	Podemos padronizar algumas Atividades--Chave?	① ② ③ ④ ⑤
	Podemos aprimorar a eficiência geral?	① ② ③ ④ ⑤
	A TI suportaria essa eficiência aprimorada?	① ② ③ ④ ⑤
	Há oportunidades de terceirização?	① ② ③ ④ ⑤
	Uma colaboração maior com parceiros poderia nos ajudar a focar nosso negócio principal?	① ② ③ ④ ⑤
	Há oportunidades de venda cruzada?	① ② ③ ④ ⑤
	Os parceiros de canais podem nos ajudar a atender melhor os clientes?	① ② ③ ④ ⑤
	Os parceiros podem complementar nossa Proposta de Valor?	① ② ③ ④ ⑤

Oportunidades de Interface com Clientes

	Como podemos nos beneficiar de um mercado crescente?	① ② ③ ④ ⑤
	Podemos atender novos Segmentos de Clientes?	① ② ③ ④ ⑤
	Podemos atender melhor nossos clientes segmentando mais?	① ② ③ ④ ⑤
	Como podemos aprimorar a eficiência ou eficácia dos canais?	① ② ③ ④ ⑤
	Podemos integrar melhor nossos canais?	① ② ③ ④ ⑤
	Podemos encontrar novos canais parceiros complementares?	① ② ③ ④ ⑤
	Podemos aumentar as margens atendendo diretamente aos clientes?	① ② ③ ④ ⑤
	Podemos alinhar melhor os canais com os segmentos de Clientes?	① ② ③ ④ ⑤
	Há potencial para aprimorar o acompanhamento do cliente?	① ② ③ ④ ⑤
	Como podemos firmar nossas relações com os clientes?	① ② ③ ④ ⑤
	Podemos aprimorar a personalização?	① ② ③ ④ ⑤
	Como podemos aumentar os custos de mudança?	① ② ③ ④ ⑤
	Identificamos e nos "livramos" de clientes não lucrativos? Se não, por quê?	① ② ③ ④ ⑤
	Precisamos automatizar alguma relação?	① ② ③ ④ ⑤

UTILIZANDO OS RESULTADOS DA ANÁLISE SWOT PARA PROJETAR NOVAS OPÇÕES DE MODELOS DE NEGÓCIOS

Uma análise SWOT estruturada de seu Modelo de Negócios traz dois resultados. Ela fornece um retrato de onde você está agora (forças e fraquezas) e sugere algumas trajetórias futuras (oportunidades e ameaças). Esse feedback é valioso e pode ajudar você a projetar novas opções de Modelo de Negócios para as quais sua empresa pode evoluir. A análise SWOT é, dessa forma, uma etapa importante tanto da etapa de protótipos de Modelos de Negócios quanto da efetiva geração de um novo modelo a ser implementado.

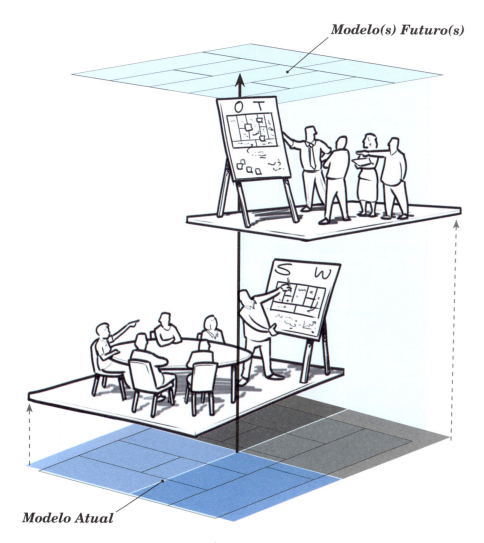

— ANÁLISE SWOT —

A ESTRATÉGIA DO OCENO AZUL SOB A ÓTICA DO MODELO DE NEGÓCIOS

NESTA SEÇÃO, COMBINAMOS NOSSAS FERRAMENTAS DE MODELO DE NEGÓCIOS COM O conceito da Estratégia do Oceano Azul[1] criado por Kim e Mauborgne em seu livro, de mesmo nome, que teve milhões de cópias vendidas. O Canvas de Modelo de Negócios é uma extensão perfeita para as ferramentas analíticas apresentadas por Kim e Mauborgne. Juntos, elas servem como estrutura de peso para questionar Modelos de Negócios já existentes e para criar modelos novos e mais competitivos.

A Estratégia do Oceano Azul é um método para questionar propostas de valor, Modelos de Negócios e explorar novos segmentos de Clientes. O Canvas de Modelo de Negócios complementa a Estratégia do Oceano Azul fornecendo uma visão mais ampla que ajuda a compreender como a alteração de uma parte do Modelo de Negócios tem impacto sobre as outras.

Em resumo, a Estratégia do Oceano Azul trata de criar negócios completamente novos através de diferenciações fundamentais, ao invés de competir nas indústrias existentes ajustando modelos estabelecidos. Ao invés de superar os concorrentes partindo de métricas tradicionais de desempenho, Kim e Mauborgne defendem a criação de novos e inexplorados espaços de mercado, com aquilo que os autores chamam de inovação de valor. Ou seja, aumentando o valor para os clientes, criando novos benefícios e serviços, enquanto simultaneamente se reduz os custos, eliminando características e serviços de menor valor. Perceba como esse método rejeita o tradicionalmente aceito conflito de escolha entre diferenciação e baixo custo.

Para obter a inovação de valor, Kim e Mauborgne propõem uma ferramenta analítica a que chamam de Modelo das Quatro Ações. Estas quatro perguntas-chave desafiam a lógica estratégica de uma indústria e o Modelo de Negócios estabelecido:

1. Qual dos fatores que o setor considera indispensáveis deve ser eliminado?
2. Que fatores devem ser reduzidos bem abaixo do padrão o setor?
3. Que fatores devem ser elevados bem acima do padrão do setor?
4. Que fatores devem ser criados que o setor nunca ofereceu?

Além da inovação de valor, Kim e Mauborgne propõem explorar grupos de não clientes para criar Oceanos Azuis e explorar mercados intocados.

Combinar o conceito de inovação de valor e o Modelo das Quatro Ações com o Canvas de Modelo de Negócios cria uma poderosa nova ferramenta. No Canvas, o lado direito representa criação de valor e o esquerdo, os custos. Isso se enquadra bem com a lógica de inovação de valor de Kim e Mauborgne de aumentar valor e reduzir custos.

---

[1] Blue Ocean Estrategy

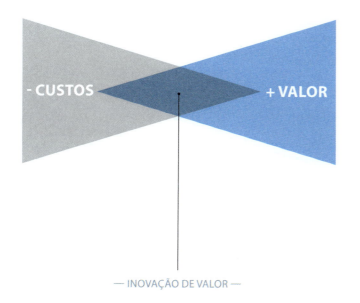

— INOVAÇÃO DE VALOR —

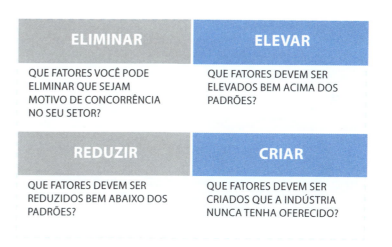

— MODELO DAS QUATRO AÇÕES —

Fonte: Adaptado da Estratégia do Oceano Azul

COMBINANDO A ESTRATÉGIA DO OCEANO AZUL COM O CANVAS DE MODELO DE NEGÓCIOS

Canvas de Modelo de Negócios

O Canvas consiste em um lado direito focado no valor e no cliente, e um lado esquerdo de custo e infraestrutura, como descrito anteriormente (veja a pág. 49). A alteração de elementos no lado direito tem implicações no lado esquerdo. Por exemplo, se adicionarmos ou eliminarmos partes dos componentes de Proposta de Valor, Canais ou Relacionamento com os Clientes, isto terá implicações imediatas em Recursos, Atividades, Parcerias e Custos.

Inovação de Valor

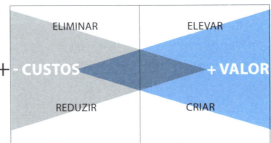

A Estratégia do Oceano Azul simultaneamente eleva o valor enquanto reduz custos. Faz isso identificando que elementos da Proposta de Valor podem ser eliminados, reduzidos, elevados ou criados. O primeiro objetivo é reduzir custos, reduzindo ou eliminando características ou serviços de menor valor. O segundo objetivo é aprimorar ou criar características ou serviços de alto valor que não aumentem significativamente a base de custos.

Combinando os Métodos

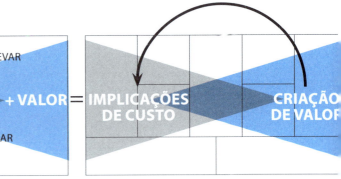

Combinar a Estratégia do Oceano Azul com o Canvas de Modelo de Negócios permite que você analise sistematicamente a inovação de um Modelo de Negócios como um todo. Você pode fazer as quatro perguntas do Modelo das Quatro Ações (eliminar, criar, reduzir, elevar) a respeito de cada componente do Modelo de Negócios, e, imediatamente reconhece as implicações em outras partes dele. Por exemplo: quais são as implicações no lado dos custos quando você faz alterações no lado do valor? E vice-versa.

CIRQUE DU SOLEIL

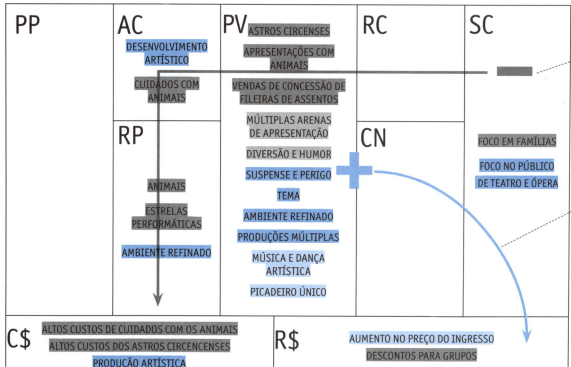

O Cirque du Soleil se caracteriza proeminentemente entre os exemplos da Estratégia do Oceano Azul. A seguir, aplicamos a combinação da Estratégia do Oceano Azul com o Canvas a esse intrigante e bem-sucedido negócio canadense.

Primeiro, o Modelo das Quatro Ações mostra como o Cirque du Soleil "jogou" com os elementos tradicionais da Proposta de Valor do negócio circense. Ele eliminou elementos caros, como os animais e os astros performáticos, enquanto adicionou outros elementos, como temas, a atmosfera artística e uma música refinada. Essa Proposta de Valor remodelada permitiu ao Cirque du Soleil ampliar seu apelo junto ao público de teatro e outros entretenimentos adultos sofisticados ao invés do público tradicional dos circos.

Como consequência, foi capaz de aumentar substancialmente o valor dos ingressos. O Modelo das Quatro Ações, destacada em azul e cinza na Tela acima, ilustra os efeitos das mudanças na Proposta de Valor.

Fonte: Adaptado da Estratégia do Oceano Azul

Nintendo Wii

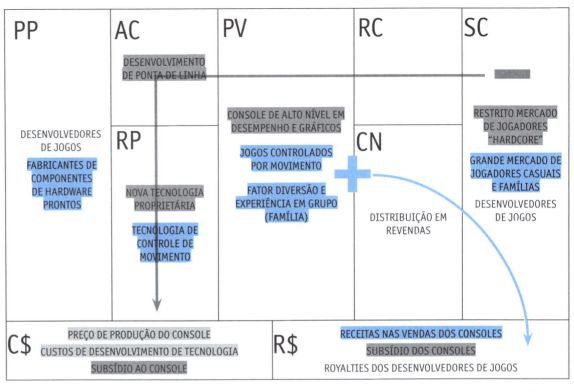

Discutimos o bem-sucedido videogame Wii, da Nintendo, como exemplo de padrão de Modelo de Negócios de plataforma multilateral (veja a pág. 76). Agora observamos como a Nintendo se diferenciou dos competidores, Sony e Microsoft, do ponto de vista da Estratégia do Oceano Azul. Comparada ao PlayStation 3 da Sony e ao Xbox 360 da Microsoft, a Nintendo buscou uma estratégia e um Modelo de Negócios fundamentalmente diferente.

O coração da estratégia estava na suposição de que os aparelhos de video game não exigiriam, necessariamente, capacidade de processamento de ponta. Essa era uma postura radical em uma indústria que competia em desempenho tecnológico, qualidade gráfica e realismo de jogo: fatores valorizados principalmente pelos usuários radicais. A Nintendo deslocou o foco para uma nova forma de interação com o jogador, visando um público mais amplo que o tradicional. Com o Wii, a Nintendo levou ao mercado um console que, tecnologicamente, fica abaixo das máquinas rivais, mas aprimorou o fator diversão com a tecnologia de controle de movimento. Os jogadores podiam controlar os jogos através de uma espécie de "varinha mágica", o Wii Remote, simplesmente através do movimento físico. O console foi um sucesso instantâneo entre jogadores casuais, e vendeu mais que os consoles rivais focados no mercado tradicional de jogadores "hardcore".

O novo Modelo de Negócios da Nintendo tem as seguintes características: uma mudança no foco do "hardcore" para o usuário casual, que permitiu que a companhia reduzisse o desempenho do console e adicionasse um novo elemento que criou mais diversão; eliminou o desenvolvimento de chips de ponta e aumentou a utilização de componentes prontos, reduziu custos e permitiu reduzir o preço do console; a eliminação o subsídio dos consoles resultou em lucro por cada aparelho vendido.

QUESTIONANDO SEU CANVAS COM O MODELO DAS QUATRO AÇÕES

A combinação das ferramentas da Estratégia do Oceano Azul com o Canvas de Modelo de Negócios fornece uma fundação sólida a partir da qual questionar seu Modelo de Negócios, começando das perspectivas de criação de valor, do cliente e estrutura de custo. Propomos que três diferentes perspectivas – do Segmento de Clientes, da Proposta de Valor, e da Perspectiva do Custo – fornecem pontos de partida ideais. Mudanças em cada ponto de partida permitem analisar impactos em outras áreas do Canvas de Modelo de Negócios (veja também epicentros de inovação na pág. 138).

Exploração de Impacto no Custo

Identifique os elementos mais custosos da infraestrutura e avalie o que acontece se você eliminá-los ou reduzi-los. Que elementos do valor desaparecem, e o que você precisaria criar para compensar a ausência deles? Então, identifique investimentos em infraestrutura que você queira fazer e analise quanto valor criam.

- Que atividades, recursos e parcerias têm o maior custo?
- O que aconteceria se você reduzisse ou eliminasse alguns desses fatores?
- Como poderia substituir, utilizando elementos menos custosos, o valor perdido pela redução ou eliminação de recursos, atividades e parcerias caras?
- Que valores seriam criados pelos novos investimentos planejados?

Explorando o Impacto da Proposta de Valor

Inicie o processo de transformação de sua Proposta de Valor fazendo as quatro perguntas. Simultaneamente, considere o impacto no lado dos custos e avalie quais elementos você precisaria (ou poderia) alterar no lado do valor, como canais, relacionamento, fonte de receitas e Segmentos de Clientes.

- Que características ou serviços de menor valor podem ser eliminados ou reduzidos?
- Que características ou serviços podem ser aprimorados ou criados para produzir uma nova e valiosa experiência ao usuário?
- Quais são as implicações de custo de suas mudanças na Proposta de Valor?
- Como as mudanças na proposta de Valor afetarão o lado cliente no modelo?

Explorando o Impacto do Cliente

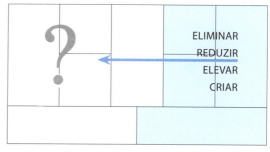

Faça a si mesmo as perguntas sobre cada fundamento do Modelo de Negócios no lado do cliente: canais, relações e fontes de receitas. Analise o que acontece ao lado dos custos se você eliminar, reduzir, elevar ou criar elementos no lado do valor.

- Em que novos nichos você pode focar e quais segmentos você poderia, possivelmente, reduzir ou eliminar?
- Que serviços os novos nichos realmente querem que sejam feitos?
- Como esses clientes preferem ser atendidos e que tipo de relação esperam?
- Quais são as implicações de atender novos segmentos?

GERENCIANDO MÚLTIPLOS MODELOS DE NEGÓCIOS

VISIONÁRIOS, PIONEIROS E DESAFIADORES ESTÃO GERANDO Modelos de Negócios inovadores por todo o mundo – como empreendedores e como trabalhadores em organizações estabelecidas. O desafio de um empreendedor é projetar e implementar com sucesso um novo Modelo de Negócios. Organizações estabelecidas, entretanto, encaram uma tarefa igualmente desafiadora: como implementar e gerenciar novos modelos mantendo os já existentes?

Pensadores da administração, como Constantinos Markides, Charles O'Reilly III, e Michael Tushman, têm uma expressão para descrever equipes que superaram esse desafio: organizações ambidestras. Implementar um novo Modelo de Negócios em uma empresa estabelecida pode ser extraordinariamente difícil, pois o novo modelo pode desafiar ou até mesmo competir com os já existentes. O novo modelo pode exigir mudanças na cultura organizacional, ou pode visar clientes desejados anteriormente ignorados. Isso gera uma pergunta: como implementamos modelos inovadores em organizações antigas?

Acadêmicos se dividem nessa questão. Muitos sugerem iniciar novos Modelos de Negócios como entidades separadas. Outros propõem um método menos dramático e argumentam que modelos inovadores podem ter sucesso dentro de organizações estabelecidas, tanto como são ou em unidades separadas. Constantinos Markides, por exemplo, propõe uma estrutura de duas variáveis para decidir como gerenciar Modelos de Negócio novos e tradicionais simultaneamente. A primeira variável expressa a intensidade do conflito entre os modelos, enquanto a segunda expressa as similaridades estratégicas. Ainda assim, ele também mostra que o sucesso depende não apenas de uma escolha correta – a implementação integrada versus a independente – mas também de *como* a opção é implementada. Sinergias, diz Markides, devem ser cuidadosamente exploradas mesmo quando o novo modelo é implementado como uma unidade independente.

O risco é uma terceira variável a considerar quando se decide entre integrar ou separar um modelo emergente. O quão grande é o risco de que o novo modelo afete negativamente o estabelecido em termos de imagem de marca, lucros, viabilidade legal e assim por diante?

Durante a crise financeira de 2008, o grupo financeiro alemão ING foi quase levado à falência por sua unidade Direct, que fornece serviços online e por telefone para mercados estrangeiros. De fato a ING tratou a ING Direct, mais como uma iniciativa de marketing do que como um novo e separado Modelo de Negócios, que teria funcionado melhor como uma entidade separada.

Finalmente, escolhas evoluem com o tempo. Markides enfatiza que as companhias podem querer considerar uma integração por etapas ou uma separação por etapas dos Modelos de Negócios. e.Schwab, o braço da Internet da Charles Schwab, corretora de seguros dos EUA, foi inicialmente configurado como uma unidade separada, porém mais tarde integrada de volta ao negócio principal, com grande sucesso. A Tesco.com, o ramo online da Tesco, a gigantesca rede de mercados britânica, fez uma transição bem-sucedida de uma linha de negócios integrada para uma unidade independente.

Nas páginas seguintes, examinamos a questão da integração versus separação com três exemplos descritos, utilizando o Canvas de Modelo de Negócios. A primeira, da fabricante de relógios SMH, optou pela rota da integração para seu novo Modelo de Negócios da Swatch, nos anos 1980. A segunda, a fabricante de alimentos Nestlé, optou pela rota da separação para levar o Nespresso ao mercado. Enquanto este livro estava sendo escrito, a terceira, a fabricante de veículos alemã Daimler, ainda estava para escolher o método para seu conceito de aluguel de veículos, o car2go.

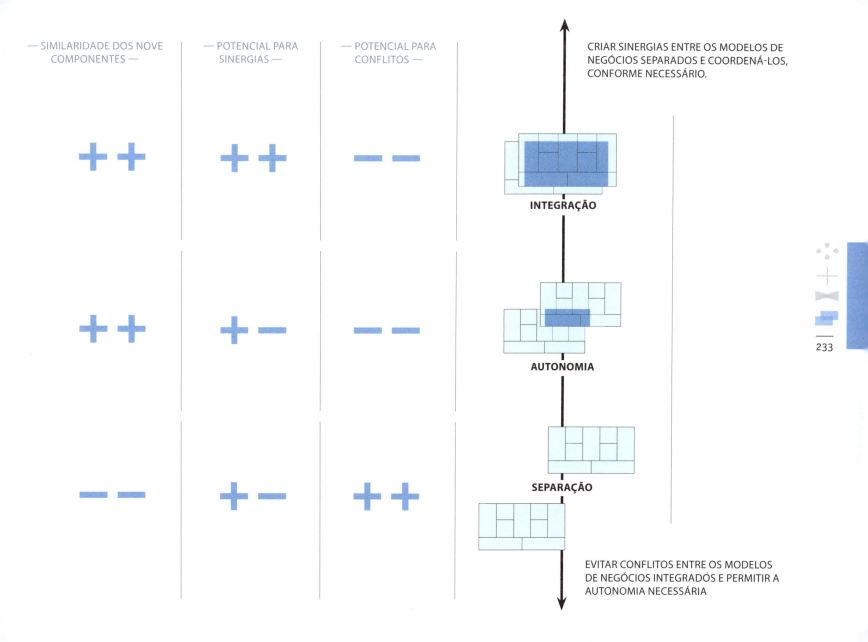

O MODELO AUTÔNOMO DA SMH PARA A SWATCH

Em meados dos anos 1970, a indústria suíça de relógios, que historicamente dominou o setor, descobriu-se em crise. Os fabricantes japoneses e de Hong Kong desalojaram a Suíça da liderança com relógios de quartzo baratos, projetados para o mercado de massa. A Suíça continuou a se concentrar nos tradicionais relógios mecânicos para os mercados médio e de ponta, mas enquanto isso os concorrentes asiáticos ameaçavam se voltar também para esses segmentos.

No início dos anos 1980, a pressão competitiva se intensificou a ponto de a maioria dos fabricantes suíços, com exceção de um punhado de marcas de luxo, estar à beira do colapso. Foi quando Nicolas G. Hayek assumiu a SMH (mais tarde renomeada como Swatch Group). Ele reestruturou completamente uma equipe formada com raízes nas duas maiores fabricantes suíças, que iam mal na época.

Hayek pensou em uma estratégia segundo a qual a SMH teria ofertas em todos os três segmentos de mercado: baixo, médio e de luxo. Na época, as firmas suíças dominavam o mercado de luxo com uma fatia de 97%. Mas a Suíça possuía apenas 3% do mercado médio e estava fora do mercado baixo custo, deixando todo o nicho para os rivais asiáticos.

Lançar uma nova marca para o nível de base era arriscado, e despertou o medo entre os investidores de que o movimento canibalizasse a Tissot, marca da SMH para o mercado médio. De um ponto de vista estratégico, a visão de Hayek não ia além de combinar um modelo de luxo e alto nível com um modelo de baixo custo sob o mesmo teto, com todos os conflitos e compensações presentes. Ainda assim, Hayek insistiu na estratégia de três níveis, o que iniciou o desenvolvimento da Swatch, um novo tipo de relógio suíço, acessível, com preço inicial em torno dos 40 dólares.

As especificações para o novo relógio eram exigentes: barato o suficiente para competir com as ofertas japonesas e ainda assim oferecer a qualidade suíça, além de margem de lucro suficiente e potencial para ancorar uma linha de produtos maior. Isso forçou os engenheiros a repensarem completamente a própria ideia de relógio e sua fabricação; eles ficaram, essencialmente, desprovidos da capacidade de aplicar seu tradicional conhecimento na fabricação de relógios.

O resultado foi um relógio feito com muito menos componentes. A fabricação era altamente automatizada: soldas substituíram parafusos, os custos de trabalho direto foram reduzidos para menos de 10%, e os relógios eram produzidos em grandes quantidades. Conceitos inovadores de marketing de guerrilha foram utilizados para levar o relógio ao mercado com diversos modelos diferentes. Hayek propôs que o novo produto comunicasse uma mensagem de estilo de vida, ao invés de simplesmente mostrar a hora.

Assim a Swatch nasceu: alta qualidade com preço baixo, um produto funcional e na moda. O resto é história. Cinquenta e cinco milhões de unidades foram vendidos em cinco anos, e em 2006 a companhia celebrou vendas agregadas de mais de 333 milhões.

A opção por implementar o Modelo de Negócios de baixo custo é particularmente interessante à luz de seu potencial impacto nas marcas de alto nível da SMH. Apesar de uma cultura organizacional e de marca completamente diferente, a Swatch foi lançada sob a SMH, e não como uma unidade independente.

A SMH, entretanto, foi cuidadosa em dar à Swatch e todas as outras marcas autonomia quase completa em relação às decisões de produto e marketing, enquanto centralizou todo o resto. Manufatura, compra e P&D, cada um reagrupado sob uma única entidade servindo a todas as marcas da SMH. Hoje, a SMH mantém uma forte política de integração vertical para obter escala e se defender dos competidores asiáticos.

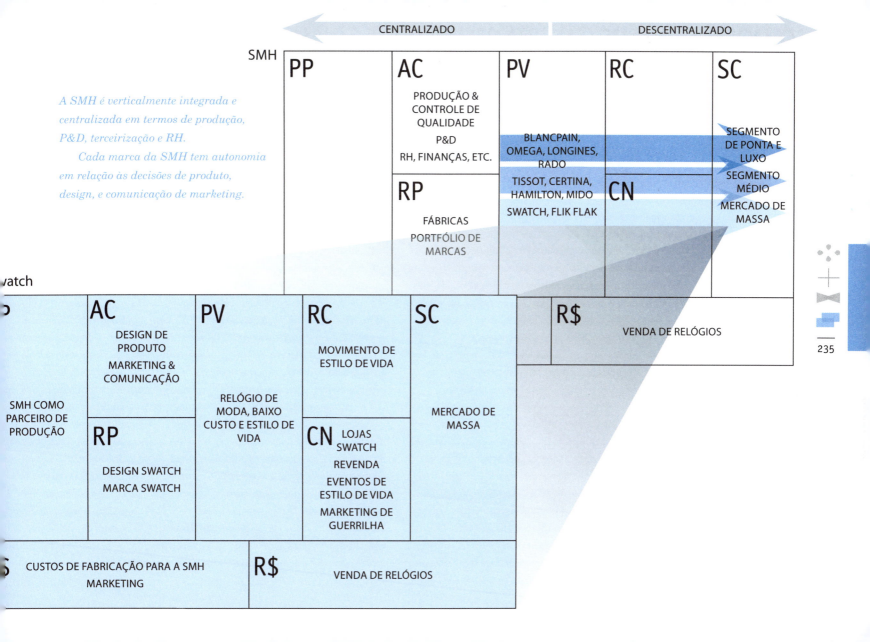

O MODELO DE SUCESSO DO NESPRESSO

1976 — PRIMEIRA PATENTE REQUERIDA PARA O SISTEMA NESPRESSO

1982 — FOCO NO MERCADO DE ESCRITÓRIOS

1986 — CRIAÇÃO DE COMPANHIA SEPARADA

1988 — NOVO CEO REFAZ A ESTRATÉGIA

1991 — A MÁQUINA DO NESPRESSO É LANÇADA INTERNAMENTE

1997 — LANÇAMENTO DAS PRIMEIRAS CAMPANHAS PUBLICITÁRIAS

1998 — FOCO NA INTERNET COM REDESIGN DO WEBSITE

2006 — GEORGE CLOONEY ENTRA COMO PORTA-VOZ

2000-2008 — CRESCIMENTO MÉDIO ANUAL DE MAIS DE 35%

Outra organização ambidestra é a Nespresso, parte da Nestlé, a maior companhia alimentícia do mundo, com vendas em 2008 chegando a aproximadamente 100 bilhões de dólares.

A Nespresso, que vende a cada ano mais de 1,9 bilhões de dólares em café premium para consumo residencial, oferece um poderoso exemplo de Modelo de Negócios ambidestro. Em 1976, Eric Favre, jovem pesquisador no laboratório de pesquisa da Nestlé, requereu sua primeira patente para o sistema Nespresso. Na época a Nestlé dominava o enorme mercado de café instantâneo com a marca Nescafé, mas era fraca nos segmentos de café torrado e moído. O sistema Nespresso foi desenvolvido para preencher a lacuna, com uma máquina de espresso dedicada e um sistema de cápsulas que poderia produzir café de alta qualidade de modo conveniente.

Uma unidade interna liderada por Favre foi montada para eliminar problemas técnicos e levar o sistema ao mercado. Após uma curta e malsucedida tentativa de entrar no mercado de restaurantes, em 1986 a Nestlé criou a Nespresso AS, uma subsidiária que começaria a fazer o marketing do sistema para escritórios, para apoiar outro empreendimento conjunto da Nestlé com um fabricante de máquinas de café já ativo nesse segmento. A Nespresso AS era completamente independente da Nescafé. Mas em 1987 as vendas da Nespresso caíram bem abaixo das expectativas e ela foi mantida apenas por causa de seu grande estoque de máquinas caras.

Em 1988, a Nestlé pôs Jean-Paul Gaillard como novo CEO da Nespresso. Gaillard reprojetou completamente o Modelo de Negócios da companhia com duas mudanças drásticas. Primeiro, a Nespresso deslocou seu foco de escritórios para residências de alta renda, e começou a vender cápsulas de café diretamente pelos correios. Tal estratégia nunca havia sido vista na Nestlé, que tradicionalmente se concentrava em mercados de massa através de canais de revenda (mais tarde, a Nespresso começaria a vender online e construiria lojas de alto nível em locais premium como a Champs-Élizsées, bem como lançaria suas próprias cabines em lojas de departamento de luxo). O modelo se mostrou bem-sucedido, e com o passar da década a Nespresso apresentou taxas de crescimento anual acima dos 35 por cento.

Particularmente interessante é como a Nespresso se compara à Nescafé, o tradicional negócio de café da Nestlé. A Nescafé se concentra no café instantâneo, vendido a consumidores indiretamente no varejo, enquanto a Nespresso se concentra em vendas diretas para consumidores emergentes. Cada método exige logística, recursos e atividades completamente diferentes. Graças aos diferentes focos, não há risco de canibalização. Ainda assim, isso também significa pouco potencial para sinergia entre os dois negócios. O conflito principal entre Nescafé e Nespresso surge do consumo considerável de tempo e recursos imposto pelo negócio de café da Nestlé até que o Nespresso finalmente alcançasse o sucesso. A separação organizacional provavelmente evitou que o projeto Nespresso fosse cancelado nos tempos difíceis.

A história não terminou aí. Em 2004, a Nestlé buscou introduzir um novo sistema complementar aos dispositivos Nespresso, que eram voltados apenas para espresso mas também podiam servir cappuccino e lattes. A pergunta, claro, era sob qual Modelo de Negócios e sob qual marca o sistema deveria ser lançado. Ou deveria ser criada uma nova companhia, como a Nespresso? A tecnologia originalmente fora desenvolvida mas cappuccinos e lattes pareciam mais apropriados para o mercado médio. A Nestlé finalmente decidiu lançar uma nova marca, a Nescafé Dolce Gusto, mas com o produto completamente integrado ao Modelo de Negócios e à estrutura organizacional da Nescafé. As cápsulas Dolce Gusto estão à venda em gôndolas junto aos cafés solúveis mas também via Internet – prova do sucesso online da Nespresso.

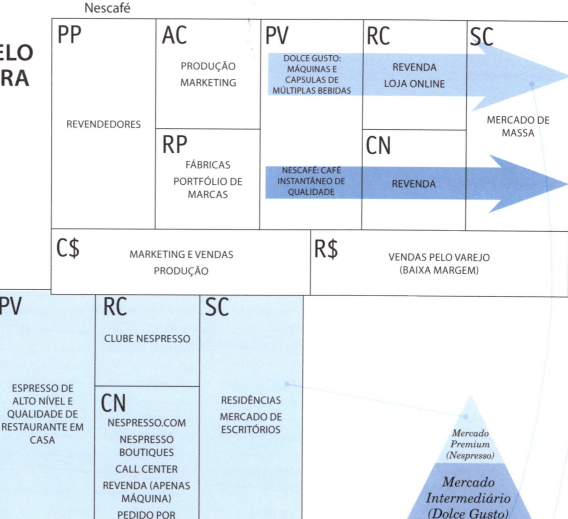

MODELO DE NEGÓCIO DA CAR2GO DA DAIMLER

Introdução de mercado da Car2go

| DESENVOLVIMENTO DO CONCEITO | PILOTO INTERNO | PILOTO INTERNO ESTENDIDO | PILOTO PÚBLICO EM ULM | PILOTO INTERNO EM AUSTIN | PILOTO PÚBLICO EM AUSTIN | QUAL FORMA ORGANIZACIONAL |

Nosso exemplo final ainda está em processo neste exato momento, enquanto escrevemos este livro. A Car2go é um novo conceito em mobilidade, criado pela fabricante de veículos Daimler. A Car2go serve de exemplo de inovação do Modelo de Negócios que complementa o modelo principal da companhia, de fabricação, venda e financiamento de veículos, de carros de luxo até ônibus.

O negócio principal da Daimler gera rendas anuais superiores a 136 bilhões de dólares ao ano, com a venda de mais de dois milhões de veículos. A Car2go, por outro lado, é um negócio inicial, oferecendo aos habitantes de grandes cidades mobilidade sob demanda com uma frota de smart cars (smart car é a marca de veículos menores e mais baratos da Daimler). O serviço está sendo testado na cidade alemã de Ulm, uma das principais bases operacionais da Daimler. O Modelo de Negócios foi desenvolvido pelo departamento de Inovação de Negócios da Daimler, que tem por tarefa desenvolver novas ideias e apoiar sua implementação.

É assim que funciona a Car2go: uma frota de smart "for two", veículos para duas pessoas, ficam disponíveis pela cidade, servindo como fonte de veículos acessíveis para clientes a qualquer momento. Após um processo de registro, que é feito apenas uma vez, os clientes podem alugar carros na hora, ou reservá-los antecipadamente, e então utilizá-los pelo tempo que quiserem. Uma vez completado o passeio, o motorista simplesmente estaciona o carro em algum lugar dentro dos limites da cidade.

Os custos do aluguel equivalem a US$ 0,27 por minuto, com tudo incluso, ou US$ 14,15 por hora, até um máximo de US$ 70 por dia. Clientes pagam mensalmente. O conceito lembra o das empresas de compartilhamento de carro populares como a Zipcar, nos EUA. Características distintivas da Car2go incluem a não necessidade de utilizar um local de estacionamento designado, aluguel na hora por qualquer período de tempo e estrutura simples de precificação.

A Daimler lançou a Car2go em resposta a uma acelerada tendência global de urbanização, e viu o serviço como um intrigante complemento ao seu negócio principal. Como um modelo de serviço puro, a Car2go naturalmente tem dinâmicas completamente diferentes do negócio tradicional da Daimler, e as receitas provavelmente permanecerão comparativamente baixas por alguns anos. Mas a Daimler certamente tem grandes esperanças em longo prazo.

Na fase piloto, lançada em outubro de 2008, 50 carros foram disponibilizados para cerca de 500 empregados do centro de pesquisas da Daimler em Ulm. Esses 500, além dos 200 membros de suas famílias, participaram como clientes iniciais. O objetivo era testar os sistemas técnicos, coletar dados sobre a aceitação e o comportamento dos usuários e testar o serviço. Em fevereiro de 2009, o teste foi estendido para incluir funcionários dos departamentos de vendas e serviços da Mercedes-Benz e outras subsidiárias da Daimler, com o número de veículos subindo para 100. No fim de março, um teste público foi iniciado com 200 veículos e a Car2go foi disponibilizada para todos os 120.000 residentes e visitantes de Ulm.

Enquanto este livro estava sendo escrito, a Daimler ainda não havia decidido se internalizaria a Car2go ou se ela viraria uma companhia separada. A Daimler optou por começar com o design do Modelo de Negócios, só depois testar o conceito em campo, e por isso retardou as decisões sobre a estrutura organizacional, até poder avaliar a relação da Car2go com seu negócio principal estabelecido.

O passo a passo da Daimler para inovação do Modelo de Negócios:

Fase 1: *design de Modelo de Negócios dentro do Departamento de Inovação da Daimler.*

Fase 2: *teste de campo do conceito executado pela Daimler Innovation*

Fase 3: *decisão sobre a estrutura organizacional do novo Modelo de Negócios (integração versus separação), de acordo com a relação com o negócio principal estabelecido.*

Daimler

PP	AC	PV	RC	SC
FABRICANTES DE PEÇAS DE CARRO	FABRICAÇÃO DESIGN	CARROS, CAMINHÕES, VANS, ÔNIBUS, SERVIÇOS FINANCEIROS (EX. MARCA MERCEDES)	MARCAS PRINCIPALMENTE DE ALTO NÍVEL	MERCADO DE MASSA
	RP FÁBRICAS DE VEÍCULOS PROPRIEDADE INTELECTUAL MARCAS		**CN** REVENDEDORES EQUIPE DE VENDAS	

C$	R$
MARKETING E VENDAS MANUFATURA P&D	VENDAS DE VEÍCULOS FINANCIAMENTO DE VEÍCULOS

car2go

PP	AC	PV	RC	SC
ADMINISTRAÇÃO MUNICIPAL	GERENCIAMENTO DE FROTA GERENCIAMENTO TELEMÁTICO LIMPEZA	MOBILIDADE URBANA INDIVIDUAL SEM PROPRIEDADE DE CARRO	INSCRIÇÃO ÚNICA	MORADORES DA CIDADE
	RP EQUIPE DE SERVIÇOS SISTEMAS TELEMÁTICOS FROTA DE *SMART CARS FORTWO*		**CN** CAR2GO.COM TELEFONE CELULAR ESTACIONAMENTOS CAR2GO LOJAS CAR2GO PEGAR E DEIXAR EM QUALQUER LUGAR	

C$	R$
GERENCIAMENTO DOS SISTEMAS GERENCIAMENTO DA FROTA	PAGAMENTO POR MINUTO – US$ 0,27 (TUDO INCLUSO)

239

APRIMORAR

INVENTAR

Pro

Processo de Construção do Modelo de Negócios

Neste capítulo, uniremos os conceitos e as ferramentas mostrados no livro até então para simplificar a tarefa de configurar e executar uma iniciativa de construção de Modelos de Negócios. Propomos um processo genérico, adaptável para as necessidades específicas de sua organização.

Todo projeto de construção de Modelos de Negócios é único e apresenta seus próprios desafios, obstáculos e fatores críticos para o sucesso. Cada organização começa a partir de um ponto diferente e tem seu próprio contexto e objetivo quando começa a lidar com questões tão fundamentais quanto seu Modelos de Negócios. Algumas podem reagir a uma situação de crise, outras podem estar atrás de um novo potencial de crescimento, e algumas até podem estar começando, enquanto outras podem estar planejando um novo produto ou uma nova tecnologia.

O processo que descrevemos fornece um ponto de partida sobre o qual quase todas as organizações podem personalizar seu próprio método. Nosso processo tem cinco fases: Mobilização, Compreensão, Design, Implementação e Gerenciamento. Descrevemos cada fase de forma generalizada e, então, as revisitamos a partir da perspectiva de uma organização estabelecida, já que a inovação de Modelos de Negócios em empresas que já executam um ou mais Modelos de Negócios existentes exige a consideração de fatores adicionais.

A inovação de um Modelo de Negócios resulta de um entre quatro objetivos: (1) satisfazer as necessidades existentes, porém não atendidas, do mercado, (2) levar novas tecnologias, novos produtos ou serviços ao mercado, (3) aprimorar, provocar ou transformar um mercado existente com um Modelo de Negócios melhor, (4) criar um mercado inteiramente novo.

Em empresas já estabelecidas, os esforços de inovação de Modelos de Negócios tipicamente refletem o modelo e a estrutura organizacional que já existe. O esforço geralmente tem uma das quatro motivações: (1) uma crise com o Modelo de Negócios existente (em alguns casos uma experiência de "quase morte"), (2) ajustar, aprimorar, ou defender o modelo existente para adaptá-lo a um ambiente em mutação, (3) levar novas tecnologias, novos produtos ou serviços ao mercado, ou (4) preparar a organização para o futuro, explorando e testando Modelo de Negócios completamente novos que poderão vir a substituir os existentes.

PONTO DE PARTIDA PARA INOVAÇÃO DO MODELO DE NEGÓCIOS

Inovação e Construção de Modelos de Negócios

Satisfazer o mercado: satisfazer uma necessidade não atendida do mercado. (*Tata car, NetJets, GrameenBank, Lulu.com*)

Levar ao mercado: levar uma nova tecnologia, um novo produto ou serviço ao mercado ou explorar uma propriedade intelectual existente. (*Xerox 914, Swatch, Nespresso, Red Hat*)

Aprimorar o mercado: aprimorar ou sacudir um mercado existente. (*Dell, EFG Bank, Nintendo Wii, IKEA, Bharti Airtel, Skype, Zipcar, Ryanair, Amazon.com, better place*)

Criar mercado: criar um negócio inteiramente novo (*Diners Club, Google*)

DESAFIOS

- Encontrar o modelo certo;
- Testar o modelo antes do lançamento em larga escala;
- Induzir o mercado a adotar o novo modelo;
- Continuamente adaptar o modelo em resposta ao retorno do mercado;
- Gerenciar incertezas.

Fatores Específicos às Organizações Estabelecidas

Reativo: surgimento de uma crise no Modelo de Negócios existente. (*IBM nos anos 90, Nintendo Wii, motores a jato Rolls Royce*)

Adaptativo: ajustar, aprimorar ou defender o Modelo de Negócios existente. (*Nokia "comes with music", inovação aberta P&G, Hilti*)

Expansivo: lançar uma nova tecnologia, produto ou serviço. (*Nespresso, Xerox 914 nos anos 1960, iPod/iTunes*)

Pró-ativo/explorativo: preparando para o futuro. (*Car2go da Daimler, Amazon Web Services*)

DESAFIOS

- Desenvolver um anseio por novos modelos;
- Alinhar modelos antigos e novos;
- Gerenciar interesses legalmente garantidos;
- Focar no longo prazo.

Atitude de Design

A inovação do Modelo de Negócios raramente acontece por coincidência. Mas também não é domínio exclusivo dos gênios criativos. É algo que pode ser gerenciado, estruturado em processos e utilizado para alavancar o potencial criativo de toda uma organização.

O desafio, entretanto, é que a inovação do Modelo de Negócios continua confusa e imprevisível, apesar das tentativas de se implementar um processo. Ela exige habilidade para lidar com ambiguidades e incertezas até que uma boa solução surja. Isso toma tempo. Os participantes devem estar dispostos a investir energia e tempo significativos para explorar as muitas possibilidades sem se apressar muito para adotar uma solução. A recompensa pelo tempo investido provavelmente será um novo Modelo de Negócios que garantirá o crescimento futuro.

Chamamos este método de Atitude de Design, mas é bastante diferente da Atitude de Decisão que domina a gestão tradicional. Fred Callopy e Richard Boland, da escola de administração da Whatherhead, explicam eloquentemente este argumento no artigo "Design Matters (O *Design Importa*)", em seu livro *Managing as Designing* (*Gerenciamento como Design*). A Atitude de Decisão, escrevem, assume que é fácil inventar alternativas, porém difícil escolher entre elas. A Atitude de Design, em contraste, parte do princípio de que é difícil projetar uma alternativa impressionante, mas uma vez que isso seja feito, a decisão sobre qual alternativa selecionar se torna trivial (veja a pág. 164).

A distinção é especialmente aplicável à inovação de Modelos de Negócios. Você pode analisar o quanto quiser e, ainda assim, fracassar em desenvolver um modelo satisfatório. O mundo está tão cheio de ambiguidades e incertezas que a Atitude de Design, de explorar e prototipar múltiplas possibilidades, provavelmente levará a um poderoso novo Modelo de Negócios. Tal exploração envolve saltos confusos e oportunos, para frente e para trás, entre pesquisas de mercado, análises, prototipagem de Modelos de Negócios, e geração de ideias. A Atitude de Design é muito menos linear e incerta que a Atitude de Decisão, que se concentra na análise, na decisão e na otimização. Ainda assim, uma busca proposital por modelos de crescimento novos e competitivos exige um método de design.

Damien Newman, da firma Central, de design, expressou, de maneira eloquente, a Atitude de Design em uma imagem que ele chama de "o Emaranhado do Design". O Emaranhado do Design incorpora as características do processo: incerteza na saída, bagunçado e oportunista, até se concentrar em um único ponto de clareza uma vez amadurecido.

INCERTEZA | **CLAREZA/FOCO**

pesquisa e compreensão | *design de protótipos de Modelos de Negócios* | *Implementação do design de Modelos de Negócios*

Fonte: Adaptado de Damien Newman, Central

5 Fases

O processo de design de Modelos de Negócios que propomos tem cinco fases: Mobilização, Compreensão, Design, Implementação e Gerenciamento. Como mencionado previamente, o processo raramente é linear como descrito na tabela à direita. Em particular, as fases de Compreensão e Design tendem a acontecer em paralelo. A prototipagem de Modelos de Negócios pode começar muito cedo na fase de Compreensão, na forma de rascunhos preliminares de ideias. Do mesmo modo, a prototipagem durante a fase de Design pode levar a novas ideias, exigindo pesquisa adicional – e um retorno à fase de Compreensão.

Finalmente, a última fase, o Gerenciamento, mantém controle contínuo sobre seu(s) modelo(s) de negócios. Na situação atual, é melhor assumir que a maioria dos modelos, até mesmo os bem-sucedidos, tem um tempo de vida curto. Considerando o investimento substancial que uma empresa faz na elaboração de um Modelo de Negócios, faz sentido estender sua vida com gestão e a evolução contínua, até que ele precise de uma renovação completa. A gestão da evolução do modelo determinará quais componentes ainda são relevantes e quais estão obsoletos.

Para cada fase do processo descrevemos os objetivos, o foco e qual conteúdo do *Business Model Generation* apoia essa fase. Então, descrevemos as cinco fases mais detalhadamente e explicamos como as circunstâncias e o foco podem mudar quando você trabalha com um Modelo de Negócios existente em uma organização já estabelecida.

OBJETIVO

FOCO

DESCRIÇÃO

SEÇÕES DO LIVRO

    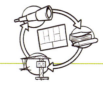

Mobilização

Preparar para um projeto de construção de Modelo de Negócios bem-sucedido

Compreensão

Pesquisar e analisar os elementos necessários para o esforço de construção do Modelo de Negócios

Design

Gerar e testar opções viáveis de Modelos de Negócios e selecionar a melhor

Implementação

Implementar em campo o protótipo de Modelos de Negócios

Gerenciamento

Adaptar e modificar o Modelo de Negócios em resposta à reação do mercado.

Preparando o cenário

Imersão

Questionamento

Execução

Evolução

Reúna todos os elementos para um design de Modelo de Negócios de sucesso. Crie conscientização da necessidade de um novo modelo, descreva a motivação por trás do projeto e estabeleça uma linguagem comum para descrever, projetar, analisar e discutir os Modelos de Negócios.

Você e sua equipe de design mergulham no conhecimento relevante: clientes, tecnologia, e ambiente. Vocês coletam informações, entrevistam especialistas, estudam clientes potenciais e identificam necessidades e problemas.

Transformar a informação e os ideais da fase anterior em protótipos que possam ser explorados e testados. Após um questionamento intensivo de cada Modelo de Negócios, selecione o mais satisfatório.

Implementar o modelo selecionado.

Configurar as estruturas de gerenciamento para continuamente monitorar, avaliar e adaptar ou transformar seu Modelo de Negócios.

- Canvas de Modelos de Negócios (pág. 44)
- Contando Histórias (pág. 170)

- Canvas de Modelos de Negócios (pág. 44)
- Padrões de Modelos de Negócios (pág. 52)
- Insights dos Clientes (pág. 126)
- Pensamento Visual (pág. 146)
- Cenários (pág. 180)
- Ambiente de Modelo de Negócios (pág. 200)
- Avaliando Modelos de Negócios (pág. 212)

- Canvas de Modelos de Negócios (pág. 44)
- Padrões de Modelos de Negócios (pág. 52)
- Ideação (pág. 134)
- Pensamento Visual (pág. 146)
- Protótipos (pág. 160)
- Cenários (pág. 180)
- Avaliando Modelo de Negócios (pág. 212)
- A Estratégia do Oceno Azul sob a ótica do Modelo de Negócios (pág. 226)
- Gerenciando Múltiplos Modelos de Negócios (pág. 232)

- Canvas de Modelo de Negócios (pág. 44)
- Pensamento Visual (pág. 146)
- Contando Histórias (pág. 170)
- Gerenciando Múltiplos Modelos de Negócios (pág. 232)

- Canvas de Modelo de Negócios (pág. 44)
- Pensamento Visual (pág. 146)
- Cenários (pág. 180)
- Ambiente de Modelos de Negócios (pág. 200)
- Avaliando Modelos de Negócios (pág. 212)

O Canvas

Mobilização

Preparar para um projeto de construção de Modelos de Negócios bem-sucedido.

ATIVIDADES
- Definir os objetivos do projeto
- Testar ideias preliminares
- Planejar
- Reunir a equipe

FATORES CRÍTICOS DE SUCESSO
- Pessoas, experiência e conhecimento apropriados

PRINCIPAIS RISCOS
- Superestimar o valor da(s) ideia(s) inicial(is)

As principais atividades da primeira fase são a definição dos objetivos, o teste das ideias preliminares, o planejamento e reunião da equipe.

Como os objetivos serão definidos, isso depende do projeto, mas em geral cobre o estabelecimento da racionalização, do escopo e dos objetivos principais. O planejamento inicial deve cobrir as primeiras fases de um projeto de design de Modelos de Negócios: Mobilização, Compreensão e Design. As fases de Implementação e o Gerenciamento dependem fortemente do resultado das três primeiras – principalmente do direcionamento do Modelo de Negócios – e por isto só podem ser planejadas mais tarde.

As atividades cruciais nessa fase incluem reunir a equipe do projeto obter acesso às pessoas e informações corretas. Embora não exista regras sobre treinar a equipe perfeita – novamente, cada projeto é u – faz sentido buscar um misto de pessoas com ampla experiência e gerenciamento e no setor, ideias frescas, os relacionamentos pessoa corretos e um profundo comprometimento com a inovação de Mod de Negócios. Você pode querer começar com alguns testes prelimi das ideias básicas de negócios durante a fase de mobilização. Mas s o potencial de uma ideia de negócio fortemente dependente da es do Modelo de Negócios correto, é mais fácil falar que fazer. Quando Skype lançou seu negócio, quem imaginaria que se tornaria a maio operadora de chamadas de longa distância do mundo?

Em todo caso, estabeleça o Canvas como a linguagem compartilha do esforço de design. Ele ajudará a estruturar e apresentar ideias preliminares de maneira mais eficiente, e aprimorará as comunicaçõe Você talvez queira tentar tecer suas ideias de Modelos de Negócios algumas histórias, para testá-las.

Um risco claro da fase de Mobilização é que as pessoas tendam a superestimar o potencial das ideias iniciais. Isso pode levar a um estado mental fechado e à exploração limitada de outras possibilidades. Tente mitigar este risco testando continuamente novas ideias com pessoas de variados históricos e repertórios culturais. Você talvez queira organizar uma sessão de matar/vibrar, na qual todos os participantes recebem como tarefa 20 minutos de brainstorm de razões pelas quais uma ideia não funcionará (a porção "matar") e, então, 20 minutos exclusivamente pensando em porque a ideia irá funcionar (a porção "vibrar"). Esta é uma ótima maneira de desafiar o valor fundamental de uma ideia.

Trabalhando a partir da Perspectiva de uma Organização Estabelecida

- *Legitimidade do Projeto* Dar legitimidade ao projeto é um fator de sucesso crítico quando se trabalha dentro de organizações estabelecidas. Já que os projetos de design de Modelos de Negócios afetam as pessoas entre todos os limites organizacionais, um comprometimento forte e visível por parte do conselho e/ou da alta gerência é indispensável para obter cooperação. Uma forma direta de criar legitimidade e patrocínio é envolver diretamente um membro respeitado da alta gestão desde o início.

- *Gerencie interesses existentes* Tome cuidado para identificar e gerenciar interesses existentes dentro da organização. Nem todos em uma organização estão interessados em reinventar o Modelo de Negócios atual. De fato, o esforço de design pode ameaçar alguns.

- *Equipe multifuncional* Como descrito anteriormente (veja a pág. 143), a força tarefa ideal de Modelos de Negócios é composta por pessoas de toda a organização, incluindo diferentes unidades, funções (marketing, finanças, TI), níveis de experiência e especialidade, e daí por diante. Diferentes perspectivas organizacionais ajudam a gerar ideias melhores, e aumentam a possibilidade de que o projeto tenha sucesso. Uma equipe multifuncional ajuda a identificar e superar potenciais obstáculos à reinvenção no início do processo e encoraja o apoio.

- *Orientar tomadores de decisão* Você deve planejar investir uma considerável quantia de tempo na orientação e educação dos tomadores de decisão sobre Modelos de Negócios, sua importância e o processo de inovação e design. Isso é crucial para ganhar seu apoio e superar a resistência ao desconhecido. Dependendo do estilo de gestão de sua organização, talvez seja melhor evitar enfatizar em excesso os aspectos conceituais dos modelos. Mantenha-se prático e transmita sua mensagem com histórias e imagens, ao invés de conceitos e teorias.

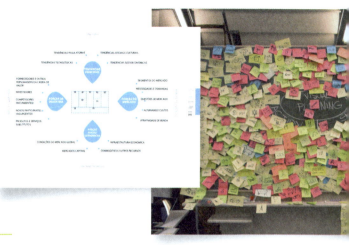

Compreensão

Pesquisar e analisar os elementos necessários para o design do Modelo de Negócios.

ATIVIDADES
- Examinar o ambiente
- Estudar clientes em potencial
- Entrevistar especialistas
- Pesquisar o que já foi tentado (por exemplo, falhas e suas causas)
- Coletar ideias e opiniões

FATORES CRÍTICOS DE SUCESSO
- Compreensão profunda dos mercados potenciais
- Ver além dos limites tradicionais definidos por esses mercados

PRINCIPAIS RISCOS
- Pesquisa em excesso: desconexão entre a pesquisa e os objetivos
- Pesquisa tendenciosa devido ao pré-comprometimento com uma certa ideia de negócios.

A segunda fase consistirá em desenvolver uma boa compreensão do contexto no qual o Modelo de Negócios evolui.

Examinar o ambiente é um misto de atividades, incluindo pesquisa de mercado, estudar e envolver clientes, entrevistar especialistas e desenhar os Modelos de Negócios dos concorrentes. A equipe de projeto deve mergulhar no material e nas atividades necessárias para desenvolver uma profunda compreensão do "ambiente de design" do Modelo de Negócios.

Examinar, entretanto, é inevitavelmente acompanhado pelo risco da pesquisa em excesso. Conscientize sua equipe deste risco na preparação inicial e garanta que todos concordem em evitar pesquisas excessivas. Pode-se ainda evitar a "paralisia da análise" evitando-se prototipar Modelos de Negócios com muita antecedência (veja Protótipos, pág. 160). Isto traz a vantagem adicional de permitir um rápido feedback. Como mencionado anteriormente, a pesquisa, a compreensão e o design andam de mãos dadas, e os limites que os separam não são claros.

Durante essa fase, uma área que merece atenção especial é o desenvolvimento de um profundo conhecimento a respeito do cliente. Soa óbvio, mas é algo frequentemente negligenciado, particularmente em projetos focados na tecnologia. O Mapa da Empatia (veja a pág. 131) pode servir de ferramenta para estruturar a pesquisa. Um desafio comum é que o Segmento de Clientes não está necessariamente definido logo no início. Uma tecnologia "ainda em busca de um problema para resolver" pode ser aplicável em diversos mercados diferentes.

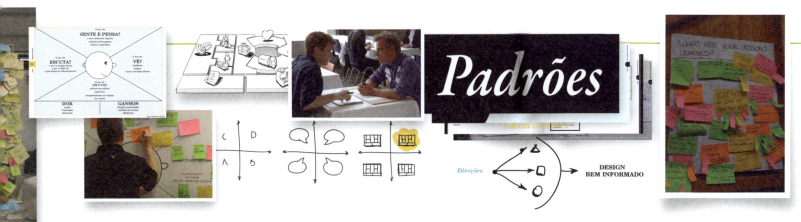

Um fator crítico para o sucesso nessa fase é questionar as premissas da indústria e os padrões de Modelos de Negócios estabelecidos. A indústria de video games para jogos estava fabricando e vendendo aparelhos de ponta subsidiados até que o Nintendo Wii inverteu as suposições aceitas (veja a pág. 82). Questionar suposições inclui explorar o potencial do "nível básico" de mercados estabelecidos, como Scott Anthony apontou em *The Silver Lining*. Enquanto rastreia o ambiente e avalia tendências, mercados e competidores, lembre-se de que as sementes de inovação de Modelos de Negócios podem ser encontradas em quase qualquer lugar.

Durante a fase de Compreensão, você também deve buscar informações de várias fontes, incluindo clientes. Comece testando direções preliminares de Modelos de Negócios antecipadamente, solicitando feedback nos rascunhos do Canvas. Tenha em mente, entretanto, que ideias pioneiras sempre podem encontrar forte resistência.

Trabalhando com a Perspectiva de uma Organização Estabelecida

● *Mapeando/Avaliando Modelo de Negócios existentes* Organizações estabelecidas começam com Modelos de Negócios prontos. Idealmente, o mapeamento e a avaliação desses Modelos de Negócios devem ser feitos em workshops separados, envolvendo pessoas de toda a organização, ao mesmo tempo que as ideias e opiniões para novos Modelos de Negócios são coletadas. Isso fornecerá múltiplas perspectivas sobre as forças e fraquezas de seu Modelo de Negócios, e as primeiras ideias para novos modelos.

● *Enxergando além do status quo* É particularmente desafiador enxergar além do Modelo de Negócios e dos padrões atuais. Devido ao status quo geralmente ser resultado de um passado de sucesso, ele está profundamente enraizado na cultura organizacional.

● *Buscando além da base de clientes existente* Buscar além de sua base de cliente existente é crucial quando se busca novos Modelos de Negócios lucrativos. O potencial de lucro de amanhã pode muito bem estar em outro lugar.

● *Demonstre progresso* A análise excessiva corre o risco de perder o apoio da alta gestão, devido a uma percebida carência de produtividade. Demonstre seu progresso descrevendo *insights* dos clientes ou demonstrando uma série de rascunhos de Modelos de Negócios com base no que você aprendeu com a pesquisa.

Design

Adapta e modifica o Modelo de Negócios em resposta a uma reação do mercado.

ATIVIDADES
- Brainstorm
- Protótipos
- Teste
- Seleção

FATORES CRÍTICOS DE SUCESSO
- Cocriar com pessoas de toda a organização
- Habilidade de enxergar além do *status quo*
- Dedicar tempo para explorar múltiplas ideias

RISCOS PRINCIPAIS
- Diluir ou suprimir ideias muito robustas
- Apaixonar-se por ideias logo de cara

O desafio principal durante a fase de Design é gerar e manter modelos novos e sustentáveis. Um pensamento expansivo é fator crítico para o sucesso aqui. Para gerar ideias pioneiras, os membros da equipe precisam desenvolver sua capacidade de abandonar o *status quo* durante a Ideação. Uma Atitude de Design focada no questionamento também é crucial. As equipes precisam dedicar tempo para explorar múltiplas ideias, pois o processo de explorar diferentes caminhos provavelmente levará às melhores alternativas.

Evite "se apaixonar" muito cedo pelas ideias. Dedique tempo para pensar em múltiplas opções antes de selecionar aquela que quer implementar. Experimente com diferentes modelos de parceria, busque fluxos de receita alternativos e explore o valor de diversos canais de distribuição. Experimente diferentes padrões de Modelos de Negócios (veja a pág. 52), para explorar e testar novas possibilidades.

Para testar potenciais modelos com especialistas externos ou clientes em potencial, desenvolva uma narrativa para cada um e busque feedback ao contar a "história" de cada modelo. Isso não significa que você precisa modificar seu modelo com base em cada comentário. Você ouvirá comentários como "isso não vai dar certo, os clientes não precisam disso", "não é factível, vai contra a lógica da indústria", ou "o mercado não está pronto ainda". Tais comentários indicam bloqueios potenciais à frente, mas não devem ser considerados obstáculos intransponíveis. Questionamentos adicionais podem bem permitir que você refine com sucesso seu modelo.

A jornada de Iqbal Quadir para levar telefonia celular aos pobres moradores de vilas rurais em Bangladesh no fim dos anos 1990 serve como exemplo. A maioria dos especialistas da indústria rejeitou a ideia, dizendo que os pobres moradores estavam pressionados por necessidades mais básicas e não pagariam por telefones móveis. Mas buscar retorno e desenvolver contatos fora da indústria de telecomunicação levou a uma parceria com a instituição de microcrédito Grameen Bank, que se tornou pedra fundamental do Modelo de Negócios da Grameenphone. Ao contrário da opinião dos especialistas, os pobres moradores das vilas estavam realmente dispostos a pagar pela conectividade

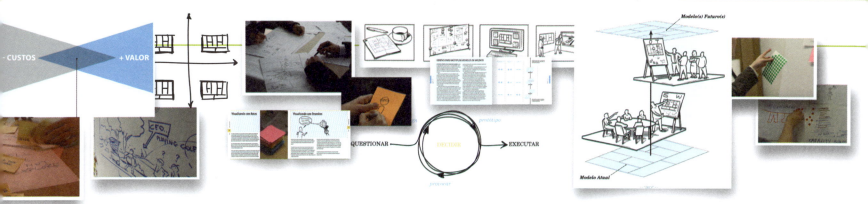

móvel e a Grameenphone se tornou a fornecedora de telecomunicações líder em Bangladesh.

Trabalhando a partir da Perspectiva de uma Companhia Estabelecida

● *Evite "amansar" as ideias audaciosas* Organizações estabelecidas tendem a diluir ideias audaciosas de Modelos de Negócios. Seu desafio é defender essa força – ao mesmo tempo garantindo que não encararão obstáculos devastadores se implementadas.

Para chegar a esse complexo equilíbrio, pode ser útil desenhar um perfil de risco/recompensa para cada modelo. O perfil pode incluir questões como: Qual é o potencial de lucro/perda? Descreva os potenciais conflitos com as unidades de negócio existentes. Como isso pode afetar sua marca? Como reagirão os clientes existentes? Este método pode ajudá-lo a esclarecer e lidar com as incertezas de cada modelo. Quanto mais forte o modelo, maior o nível de incerteza. Se você definir claramente as incertezas envolvidas (novos mecanismos de preço, novos canais de distribuição), você pode prototipá-las e testá-las no mercado para descobrir como o modelo se comportará quando lançado em larga escala.

● *Design participativo* Outra forma de aumentar a probabilidade de aceitação de ideias fortes e sua subsequente implementação é ser inclusivo ao formar sua equipe de design. Junte-se a pessoas de diferentes unidades, diferentes níveis na hierarquia organizacional e diferentes especialidades. Integrando comentários e preocupações de toda a organização, seu design pode antecipar e possivelmente contornar obstáculos de implementação.

● *Velho versus novo* Um grande questionamento do design é se os Modelos de Negócios velhos e novos devem ser separados ou integrados. A escolha de design correta afetará fortemente as chances de sucesso (veja Gerenciando Múltiplos Modelos de Negócios, pág. 232).

● *Evite foco de curto prazo* Uma limitação a ser evitada é o foco de curto prazo em ideias com grande potencial de lucro no primeiro ano. Grandes corporações, em particular, podem experimentar enorme crescimento absoluto. Uma companhia com vendas anuais de US$ 5 bilhões, por exemplo, gera US$ 200 milhões em novas receitas crescendo com a modesta taxa de quatro por cento. Poucos Modelos de Negócios pioneiros podem obter tais receitas em seu primeiro ano (fazê-lo exigiria adquirir 1,6 milhões de novos clientes, cada um pagando uma taxa anual de US$ 125). Assim sendo, uma perspectiva de longo prazo é necessária quando se explora novos Modelos de Negócios. De outro modo, sua organização provavelmente perderá muitas oportunidades de crescimento futuro. O quanto você acha que a Google lucrou em seu primeiro ano?

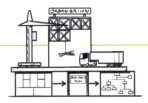

Implementação
Implementar em campo o protótipo do Modelo de Negócios

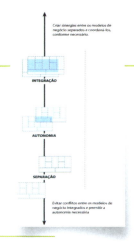
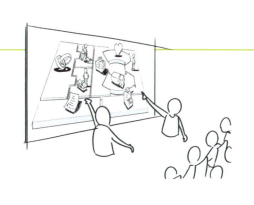

ATIVIDADES
- Comunicar e envolver
- Executar

FATORES CRÍTICOS PARA O SUCESSO
- Gestão das Melhores Práticas do Projeto
- Capacidade e disponibilidade para rapidamente adaptar o Modelo de Negócios
- Alinhar modelos "velhos" e "novos"

RISCOS
- Momento Inadequado

A *Geração de Modelos de Negócios* se concentra em compreender e desenvolver modelos inovadores, mas também gostaríamos de oferecer algumas sugestões sobre a implementação de novos Modelos de Negócios, particularmente dentro de organizações estabelecidas.

Uma vez que você tenha um design final de Modelo de Negócios, começará a traduzi-lo em plano de implementação. Isto inclui definir todos os projetos relacionados, especificar marcos, organizar quaisquer estruturas legais, preparar um orçamento detalhado e um mapa do projeto, e daí por diante. A fase de implementação frequentemente está descrita em um plano de negócios e sumarizada em um documento de gerenciamento de projeto.

Atenção especial precisa ser dada ao gerenciamento de incertezas. Isso significa monitorar de perto como as expectativas de risco/recompensa se dão contra os resultados reais. Significa desenvolver mecanismos para rapidamente adaptar seu Modelo de Negócios ao retorno do mercado.

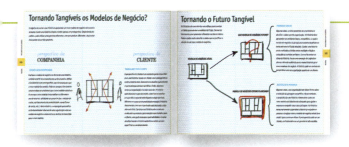

Por exemplo, quando o Skype começou a se tornar bem-sucedido e recebia dezenas de milhares de novos usuários todos os dias, precisou imediatamente desenvolver mecanismos para lidar com comentários e reclamações de maneira eficiente em custo. De outro modo, os gastos cada vez maiores e a insatisfação dos usuários teriam arruinado a empresa.

Trabalhando a partir da Perspectiva de uma Companhia Estabelecida

● *Gerenciando "obstáculos" de forma pró-ativa* O elemento que mais aumenta a probabilidade de sucesso de um novo Modelo de Negócios vem muito antes da implementação real. Estamos nos referindo à participação de pessoas de toda a organização nas fases de Mobilização, Compreensão e Design. Tal conjunto participativo terá estabelecido apoio e revelado obstáculos antes mesmo da implementação do novo modelo estar planejado. A participação intensa e interfuncional permite a você lidar diretamente com quaisquer preocupações em relação ao novo Modelo de Negócios antes de desenhar o mapa para sua implementação.

● *Patrocínio do projeto* Um segundo elemento de sucesso é o apoio sustentado e visível do patrocinador de seu projeto, algo que sinaliza a importância e a legitimidade do esforço de construção do Modelo de Negócios. Ambos elementos são cruciais para impedir os interesses existentes de minar a implementação bem-sucedida do novo Modelos de Negócios.

● *Modelo de Negócios velho versus novo* Um terceiro elemento está na criação de uma estrutura organizacional correta para o seu novo Modelo de Negócios (veja Gerenciando Múltiplos Modelos de Negócios, pág. 232). Ele deve ser uma entidade independente ou uma unidade de negócios dentro da organização mãe? Ele utilizará recursos compartilhados com um modelo existente? Herdará sua cultura organizacional?

● *Plano de comunicação* Finalmente, conduza um plano de comunicação interno multicanal e de alta visibilidade, anunciando o novo modelo. Isso ajudará você a combater o "medo do novo" em sua organização. Como descrito anteriormente, histórias e visualizações são ferramentas poderosas e atraentes que ajudam as pessoas a entender a lógica e a racionalização por trás do novo Modelo de Negócios.

O Canvas

Gerenciamento

Adaptar e modificar o Modelo de Negócios em resposta ao mercado

ATIVIDADES
- Examinar o ambiente
- Continuamente avaliar seu Modelo de Negócios
- Rejuvenescer ou repensar seu modelo
- Alinhar Modelos de Negócios dentro da empresa
- Gerenciar sinergias e conflitos entre modelos

FATORES CRÍTICOS PARA O SUCESSO
- Perspectiva de longo prazo
- Proatividade
- Gestão dos modelos

RISCOS
- Tornar-se vítima de seu próprio sucesso, fracassando em se adaptar

Para organizações de sucesso, criar um novo Modelo de Negócios ou repensar um existente não é um exercício único. É uma atividade que continua depois da implementação. A fase de Gerenciamento inclui avaliar continuamente o modelo e examinar o ambiente para compreender como ele pode ser afetado por fatores externos em longo prazo.

Ao menos uma pessoa na equipe estratégica organizacional – se não uma nova equipe – deveria ser designada responsável pelos Modelos de Negócios e por sua evolução em longo prazo. Considere a organização de workshops regulares com equipes multifuncionais para avaliar seu Modelos de Negócios. Isso vai ajudar a julgar se um modelo precisa de ajustes menores ou uma revisão completa.

Idealmente, aprimorar e repensar o Modelo de Negócios de uma organização deveria ser a obsessão de todo funcionário, e não algo que preocupa apenas a alta gerência. Com o Canvas do Modelo de Negócios, você ganha uma ferramenta com a qual esclarecer os modelos para todos. Novas ideias frequentemente aparecem em lugares improváveis dentro de uma organização.

A resposta pró-ativa às evoluções do mercado também é cada vez mais importante. Considere gerenciar um portfólio de Modelos de Negócios. Vivemos na geração do Modelo de Negócios, época na qual o tempo de vida de um Modelos de Negócios de sucesso está cada vez menor. Assim como na gestão tradicional do ciclo de vida

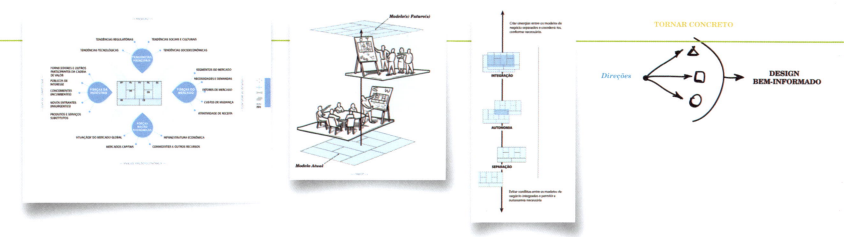

de um produto, precisamos todos começar a pensar em substituir nossos modelos, mesmo os geradores de dinheiro, por modelos em ascensão para o mercado de amanhã.

A Dell provocou a indústria de PCs ao introduzir o formato de produção sob demanda e as vendas diretas online. Com o passar dos anos, a Dell se deu tão bem na empreitada que se estabeleceu como líder de mercado. Mas a empresa fracassou em repensar totalmente seu Modelo de Negócios, que uma vez fora provocador. Agora o panorama da indústria mudou, e a Dell se arrisca a permanecer presa ao mercado antigo, enquanto o crescimento e o lucro são agora gerados em outro lugar, fora do seu alcance.

Trabalhando a partir da Perspectiva de uma Companhia Estabelecida

● *Governança dos Modelos de Negócios* Considere definir um grupo como responsável pela governança dos Modelos de Negócios para ajudar a gerenciar os Modelos de Negócios da empresa. O papel deste grupo seria orquestrar os modelos, atrair investidores, lançar projetos de inovação e redesign, e rastrear a evolução geral dos Modelos de Negócios da organização. Ele também deve gerenciar o Modelo de Negócios "mestre" que representa toda a organização. Este modelo mestre pode servir como ponto de partida para cada projeto dentro da organização. O Modelo de Negócios mestre também ajudaria a diferenciar grupos funcionais, tais como operações, manufatura ou vendas, em alinhamento com os objetivos gerais da companhia.

● *Gerencie sinergias e conflitos* Uma das principais tarefas do grupo de governança de Modelos de Negócios seria alinhar os modelos uns com os outros para explorar sinergias e evitar ou gerenciar conflitos. Um Canvas descrevendo cada Modelo de Negócios da organização ajudaria a iluminar o todo e obter um melhor alinhamento.

● *Portfólio de Modelos de Negócios* Companhias estabelecidas e bem-sucedidas devem proativamente gerenciar um "portfólio" de Modelos de Negócios. Muitas companhias previamente bem-sucedidas na indústria da música, dos jornais e na automotiva fracassaram em examinar proativamente seus Modelos de Negócios e, como resultado, entraram em crise. Um método promissor para evitar tal destino é desenvolver um portfólio de Modelos de Negócios, segundo o qual negócios que geram dinheiro agora podem financiar o experimento de modelos para o futuro.

● *A mente de um iniciante* Buscar manter a perspectiva de um iniciante ajuda a impedir que nos tornemos vítimas de nosso próprio sucesso. Todos precisamos constantemente examinar a paisagem e avaliar nossos próprios Modelos de Negócios. Dê uma olhada renovada no seu modelo regularmente. Você pode precisar repensar completamente um modelo de sucesso antes até do que imaginava.

O QUE MAIS?

Os protótipos são, potencialmente, a parte mais importante do livro e das ferramentas fornecidas. Meu argumento está baseado no estresse e na resistência que organizações estáveis enfrentam no processo de inovar seus próprios Modelos de Negócios. Assim sendo, uma estratégia muito potente é a prototipagem — para gerar o apoio necessário para o projeto.
Terje Sand, Noruega

Tipicamente, quando uma organização busca aprimorar seus Modelos de Negócios, isso é resultado de algumas lacunas que ela precisa preencher. Visualizar seu atual modelo pode revelar essas lacunas e transformá-las em itens de ação concreta.
Ravila White, Estados Unidos

Em companhias estabelecidas, frequentemente há amplas "ideias de produtos" que nunca recebem consideração séria, pois não se enquadram imediatamente no Modelo de Negócios prevalente.
Gert Steens, Holanda

Não se apegue a primeira ideia ou implementação. Construa ciclos de feedback e monitore sinais de alerta para desafiar explicitamente seu conceito original. Esteja disposto a alterá-lo completamente, se necessário.
Erwin Fielt, Austrália

O Modelo de Negócios *freemium* como reverso do seguro — é um verdadeiro *insight!* Me faz querer virar outros modelos de cabeça para baixo!
Victor Lombardi, Estados Unidos

Um Modelo de Negócios é o **"CONTEÚDO PRINCIPAL"** *ou o* **"RESUMO"** da companhia (atual ou desejada). Um plano de negócios é o "guia de ação" ou a "história completa".
Fernando Saenz-Marrero, Espanha

Quando trabalho com empresas sem fins lucrativos, a primeira coisa que digo a eles é que, de fato, eles têm um (modelo de) "negócio", no sentido de que precisam criar e capturar valor, venha ele de doações, assinaturas ou seja lá o que for.
Kim Korn, Estados Unidos

Comece com a conclusão já em mente enquanto assume a perspectiva do cliente final.
Karl Burrow, Japão

Uma coisa é mapear um Canvas. Mas, para criar um Modelo de Negócios que por si só seja uma inovação, é útil utilizar ferramentas usadas para criar inovações em outras indústrias, como no design.
Ellen Di Resta, Estados Unidos

Aravind utilizou o Modelo de Negócios *Freemium* para permitir cirurgias ópticas GRATUITAS para as populações mais carentes na Índia. A inovação de Modelos de Negócios realmente pode fazer a diferença!
Anders Sundelin, Suécia

Eu acredito que embora a maioria dos gerentes entenda o conceito de estratégia, eles têm dificuldades para aplicar esse conceito em seu nível de organização.

Entretanto, discussões sobre Modelos de Negócios conectam os conceitos de alto nível com tomadas de decisões rotineiras. É um ótimo meio termo.
Bill Welter, Estados Unidos

Pessoas, Cenários, Visualização, Mapas de Empatia, e daí por diante, são técnicas que utilizei desde o fim dos anos 1990 em projetos que trabalham a experiência do usuário. Nos últimos anos, tenho notado que são incrivelmente eficientes no nível de estratégia/negócios.
Eirik V Johnsen, Noruega

Se resolver os atuais problemas da humanidade exige repensar o valor gerado e para quem, então a inovação de Modelos de Negócios é a principal ferramenta para organizar, comunicar e implementar esse novo pensamento.

Nabil Harfoush, Canadá

Estou interessado em ouvir como as pessoas estão integrando ideias de tecnologia em seus modelos utilizando O Canvas. Pensamos adicioná-las como camadas separadas, mas acabamos por integrá-las como notas em cada um dos Nove Componentes. A partir daí, então, nos afastamos e desenvolvemos um plano de tecnologia separado e integrado.
Rob Manson, Austrália

SEU MODELO DE NEGÓCIOS NÃO É SEU NEGÓCIO

É um método para questionar, ajudar você a compreender o que fazer a seguir. Testes e iterações são cruciais.
Matthew Milan, Canadá

Plataformas multilaterais são realmente bastante fáceis quando ainda são Modelos de Negócios; a dificuldade está na execução: atrair o "lado subsidiado", ajustar o preço lateralmente, a integração vertical ou horizontal, como alterar o Modelo de Negócios acompanhando o tamanho do mercado de cada um dos lados.
Hampus Jakobsson, Suécia

A INOVAÇÃO DE MODELOS DE NEGÓCIOS COMBINA *criatividade* COM UM *método estruturado* – O MELHOR DE DOIS MUNDOS.

Ziv Baida, Holanda

Muitos de meus clientes não têm a visão holística de seu Modelos de Negócios e tendem a se concentrar no problema imediato. O Canvas fornece uma estrutura que ajuda a esclarecer porque, quem, o que, quando, onde e como.
Patrick van Abbema, Canadá

Eu amo a ideia de utilizar essas ferramentas para projetar negócios e nas engrenagens de uma organização.

Michael Anton Dila, Canadá

Há **milhares de Modelos de Negócios a serem investigados** e muitas **milhares de pessoas interessadas** neles.
Steven Devijver, Bélgica

A simplicidade é muito importante para explicar os padrões e incitar o envolvimento de leigos na inovação de negócios.
Gertjan Verstoep, Holanda

Temos trabalhado por muito tempo, e muito, para companhias com Modelos de Negócios ruins ou impróprios.
Lytton He, China

O termo Modelo de Negócios é muito falado por aí e com muita frequência acompanha uma compreensão incompleta do que faz de um negócio um negócio (na maioria das vezes, é levado em conta apenas o aspecto financeiro/a renda).
Livia Labate, Estados Unidos

A inovação do Modelo de Negócios é uma das formas **MENOS UTILIZADAS E MAIS EFICAZES** de produzir crescimento sustentável, desenvolvimento econômico, e criar novos "mercados" e "indústrias".
Deborah Mills-Scofield, Estados Unidos

Resumo

Esperamos ter demonstrado como visionários, pioneiros e desafiadores lidam com a questão vital dos modelos de negócios. Esperamos ter fornecido a linguagem, as ferramentas, as técnicas e o método dinâmico necessários para projetar novos, inovadores e competitivos modelos. Mas resta muito a ser dito. Então aqui abordamos cinco tópicos, cada um deles bem merecedor do seu próprio livro.

O primeiro examina os modelos de negócios sem fins lucrativos: como o Canvas pode motivar a inovação em setores públicos e sem fins lucrativos. A segunda sugere como o design de Modelo de Negócios auxiliado por computador pode alavancar o método baseado em papel e permitir manipulações complexas dos elementos do Modelo de Negócio. O terceiro discute a relação entre os modelos de negócio e planos de negócio.
O quarto se dirige a questões que surgem ao se implementar modelos de negócio tanto em organizações novas quanto em existentes. O tópico final examina como melhor obter o alinhamento entre o Modelo de Negócios e TI.

Modelos de Negócios Sem Fins Lucrativos

A aplicação do Canvas não está, de modo algum, limitada a corporações que visam lucro. Você pode, facilmente, aplicar a técnica a organizações sem fins lucrativos, caridades, entidades do setor público e empreendimentos sociais beneficentes.

Cada organização possui um Modelo de Negócio, mesmo que essa organização não seja um negócio. Para sobreviver, toda organização que cria e entrega um valor deve gerar renda suficiente para cobrir seus custos. Assim sendo, é um Modelo de Negócio. A diferença é meramente uma questão de foco: o objetivo do negócio que visa o lucro é maximizar ganhos, enquanto as organizações discutidas nas páginas seguintes têm missões não financeiras, focadas na ecologia, em causas sociais e concessionárias de serviço público. Consideramos útil a sugestão do empreendedor Tim Clark de que o termo "modelo de empreendimento" seja aplicado a tais organizações.

Nós distinguimos duas categorias de modelos voltados para além do lucro: modelos de empreendimento financiados por terceiros (ex.: filantropia, caridade, governo) e os chamados modelos Três Abordagens, com forte missão ecológica e/ou social (no original, "tripple bottom line", em referência à prática de considerar custos ambientais e sociais bem como os financeiros). É principalmente a fonte de receita que distingue os dois, mas como consequência direta eles têm dois padrões e motivações bem diferentes. A maioria das organizações experimenta combinar os dois modelos para explorar o melhor de ambos.

Modelos Financiados por Terceiros

Neste tipo de empreendimento, o usuário do produto ou serviço não é quem paga. Os produtos e serviços são pagos por terceiros, que podem ser doadores, ou o setor público. Os terceiros pagam à organização para executar uma missão, que pode ser um serviço de natureza social, ecológica ou pública. Por exemplo, o governo (e, indiretamente, os contribuintes) pagam escolas para fornecer serviços de educação. Do mesmo modo, doadores da Oxfam, uma grande organização sem fins lucrativos do Reino Unido, ajudam a financiar seus esforços para eliminar a pobreza e a injustiça social. Terceiros raramente esperam benefícios econômicos diretos, exceto anunciantes – que são personagens de modelos lucrativos, que também apresentam financiamento de terceiros.

Um risco do modelo de empreendimento de terceiros é que os incentivos para criação de valor podem se desalinhar. O terceiro financiador se torna o "cliente" principal, por assim dizer, enquanto o usuário se torna um mero "recebedor" dos produtos ou serviços. Já que a própria existência do empreendimento depende dos contribuintes, o incentivo para dar valor aos doadores pode se tornar mais forte que o incentivo para criar valor para os usuários.

Tudo isto não é para dizer que modelos de empresas financiadas por terceiros sejam ruins e que modelos de negócios financiados pelo usuário sejam sempre bons. O negócio convencional de venda de produtos e serviços nem sempre funciona: educação, saúde, e serviços utilitários são exemplos claros. Não há respostas simples às questões levantadas pelos modelos de empreendimento financiados por terceiros e o risco resultante de incentivos desalinhados. Devemos explorar quais modelos fazem sentido, e então projetar as soluções ideais.

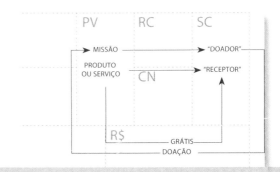

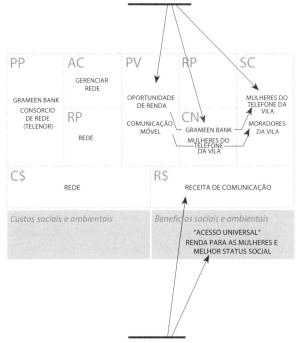

Solucionar as grandes questões da nossa geração exige Modelos de Negócios novos e ousados

Modelo de Negócios Triple Bottom Line

Anteriormente, compartilhamos a história de como Iqbal Quadir, um investidor de Nova York, se preparou para construir a Grameenphone. Seu objetivo era fornecer acesso universal a serviços de telecomunicações em áreas remotas e rurais de seu país natal, Bangladesh. Ele obteve sucesso com um modelo lucrativo que teve impacto profundo e positivo na Zona Rural de Bangladesh. A Grameenphone chegou a fornecer a mais de 200.000 mulheres de áreas rurais uma oportunidade de obter renda, elevou seu status social, conectou 60.000 moradores de vilas à rede de telefonia, alcançou 100 milhões de pessoas, teve lucro, e se tornou a maior fonte de impostos do país.

Para acomodar modelos de negócio triple bottom line, podemos estender o Canvas com fundamentos ilustrando dois resultados: (1) os custos sociais e ambientais do Modelo de Negócios (seu impacto negativo) e (2) os benefícios sociais e ambientais de um Modelo de Negócios (seu impacto positivo). Assim como as receitas são aumentadas minimizando-se os custos financeiros e maximizando as receitas, o modelo *triple bottom line* busca minimizar os impactos sociais e ambientais negativos e maximizar os positivos.

Design de Modelo de Negócios Utilizando o Computador

Mike, um analista de negócios sênior que trabalha para um grande grupo financeiro, relatou o primeiro dia de uma oficina de dois dias que está coordenando com um grupo de 24 executivos. Ele coleta os protótipos de modelos de negócios e ideias que os participantes rascunham em grandes pôsteres do Canvas e se apressa para seu escritório.

Lá, Mike e sua equipe inserem as ideias em um programa de design de Modelo de Negócios colaborativo, apoiado pelo computador, para desenvolver ainda mais os protótipos. Outros analistas de negócios do exterior adicionam estimativas de custos de recursos e atividades, bem como cálculos de potenciais Fontes de Receita. O software então apresenta quatro cenários financeiros diferentes, com dados de Modelo de Negócios e protótipos de diagramas para cada impresso em grandes pôsteres. Na manha seguinte, Mike apresenta seus resultados aos executivos, que se reúnem para o segundo dia de oficina e discutem os potenciais riscos e recompensas de cada protótipo.

Este cenário ainda não descreve a realidade, mas logo descreverá. Um Canvas impresso em um grande pôster e uma grande caixa de notas ainda são as melhores ferramentas para ativar a criatividade e gerar ideias inovadoras de modelos de negócios. Mas este método apoiado por papel pode ser melhorado, com a ajuda dos computadores.

Transformar um protótipo de Modelo de Negócios em uma tabela consome tempo, e cada mudança no protótipo geralmente exige uma modificação manual da tabela. Um sistema baseado em computador poderia fazer tudo isso automaticamente e ainda tornar possível simulações compreensivas e instantâneas de modelos de negócio.

Ainda por cima, o suporte de computador poderia tornar a criação, o armazenamento, a manipulação, o rastreamento e a comunicação de modelos muito mais simples. Tal suporte seria quase uma exigência para o trabalho colaborativo em modelos de negócios com equipes geograficamente díspares.

Não parece estranho podermos projetar, simular e construir aviões ou desenvolver softwares entre continentes, e ainda assim não podermos manipular modelos de negócios de alto valor fora de salas de reunião e sem papel e lápis? É hora de levar a velocidade e o poder dos microprocessadores ao desenvolvimento e gerenciamento de novos modelos de negócios. Inventar modelos inovadores certamente exige criatividade humana, mas os sistemas de computador podem ajudar a manipular modelos de maneiras mais sofisticadas e complexas.

Um exemplo do campo da arquitetura é útil para ilustrar o poder do desenvolvimento baseado na informática. Nos anos 1980, os chamados sistemas de Design Auxiliado por Computador (CAD – *Computer-Aided Design*) começaram e se tornar acessíveis e foram pouco a pouco adotados por firmas de arquitetura. O CAD tornou muito mais simples e barato para os arquitetos a criação de protótipos tridimensionais. Eles trouxeram velocidade, integração, colaboração, simulação e melhor planejamento às práticas arquitetônicas. Tarefas manuais enfadonhas, como redesenhos constantes e compartilhamento de plantas, foram eliminadas, e todo um novo mundo de oportunidades, como a rápida exploração visual 3D e a prototipagem, se abriu. Atualmente, o rascunho baseado em papel e o CAD coexistem alegremente, cada método mantendo suas próprias forças e fraquezas.

Protótipo de um editor de Modelo de Negócio auxiliado por computador: www.bmdesigner.com (em inglês)

Trabalhando com dos modelos de negócios, também, os sistemas auxiliados por computador podem tornar muitas tarefas mais fáceis e rápidas, e ao mesmo tempo revelar oportunidades não vistas anteriormente. No mínimo, os sistemas de design apoiado pelo computador (CAD) poderiam ajudar a visualizar, armazenar, manipular, rastrear, anotar e comunicar modelos de negócio. Funções mais complexas envolveriam manipular camadas ou versões de modelos de negócios, ou mover elementos do modelo dinamicamente para avaliar seu impacto em tempo real. Sistemas sofisticados poderiam facilitar a crítica de modelos de negócios, fornecendo um repositório de padrões e fundamentos prontos para uso, permitindo o desenvolvimento e gerenciamento distribuído de modelos de negócios, a simulação de modelos, ou a integração de outros sistemas de gestão empresariais (como ERP's, ou gerenciamento de processos de negócios).

Os sistemas de design de modelos de negócios provavelmente evoluirão passo a passo com os aprimoramentos de interface. Manipular modelos de negócios em paredes de tela sensível ao toque (*touchscreen*) levaria o design auxiliado por computador para mais perto do método intuitivo baseado em papel e aprimoraria a experiência de uso.

	No Papel	**Auxiliado por Computador**
Vantagens	- Canvas utilizando o papel ou pôsteres podem ser facilmente criados e utilizados em qualquer lugar; - Os Canvas baseados em papel ou pôsteres impõem poucas barreiras: não é necessário aprender a usar um aplicativo específico; - Intuitivo e atraente para o trabalho em equipes diversificadas; - Encoraja a criatividade e incita a ideação quando se utiliza grandes superfícies.	- Fácil de criar, armazenar, manipular e rastrear; - Permite colaboração remota; - Simulações financeiras rápidas e abrangentes; - Fornece direcionamento para o design de Modelo de Negócios (sistemas de crítica, banco de dados de modelos de negócios, ideias de padrões, mecanismos de controle).
Aplicações	- Breves rascunhos para desenhar, compreender ou explicar modelos de negócios; - Sessões colaborativas de brainstorming para desenvolver ideias de modelos; - Avaliação colaborativa de modelos.	- Design colaborativo de modelos de negócios com equipes remotas; - Manipulações complexas de modelos de negócios (navegação, camadas de modelos de negócio, fusão de modelos); - Análise profunda e compreensiva.

Modelos de Negócios e Planos de Negócios

O propósito de um plano de negócios é descrever e comunicar um projeto com ou sem fins lucrativos e como pode ser implementado, seja dentro ou fora de uma organização. A motivação de um plano de negócios pode ser "vender" um projeto, seja para potenciais investidores ou para investidores internos. Um plano de negócios também pode servir como guia de implementação.

De fato, o trabalho que você teve projetando e pensando seu próprio Modelo de Negócios é a base perfeita para escrever um robusto plano de negócios. Sugerimos dar ao seu plano uma estrutura de seis seções: Equipe, Modelo de Negócios, Análise Financeira, Ambiente Externo, Plano de Implementação e Análise de Risco.

Equipe
Um elemento do plano de negócios que os investidores particularmente enfatizam é a equipe de Gestão. A equipe é experiente, tem conhecimentos, está conectada o suficiente para realizar a proposta? Os membros têm históricos de sucesso? Destaque por que sua equipe é a correta para construir e executar com sucesso o Modelo de Negócios que você propõe.

Modelo de Negócios
Esta seção apresenta a atratividade do Modelo de Negócio. Utilize o Canvas para fornecer aos leitores um retrato visual imediato do seu modelo. Idealmente, você ilustraria cada elemento com desenhos. Então, descreva a sugestão de valor, demonstre evidências das necessidades dos clientes, explique como alcançará o mercado. Faça uso de histórias. Destaque os atrativos do seu segmento alvo para atrair interesse. Finalmente, descreva os Recursos e Atividades Principais necessários para construir e executar o Modelo de Negócios.

Análise Financeira
Este é, tradicionalmente, um importante componente do plano de negócios, que atrai muita atenção. Você pode fazer cálculos pró-forma baseados nos Componentes do Canvas e estimar quantos clientes pode obter. Inclua elementos como análises de pontos de equilíbrio, cenários de vendas e custos operacionais. O Canvas também pode ajudar com cálculos de gastos e outras estimativas dos custos de implementação. Projeções de custos totais, receitas e fontes de caixa determinam suas necessidades de financiamento.

Ambiente Externo
Este setor do plano de negócios descreve como seu modelo está posicionado em relação ao ambiente externo. As quatro forças externas já expostas anteriormente (veja a pág. 201) fornecem a base para esta descrição. Sumarize as vantagens competitivas do seu Modelo de Negócios.

Plano de Implementação
Esta seção demonstra ao leitor o que será necessário para implementar seu Modelo de Negócios, e como você irá fazê-lo. Inclua um sumário de todos os projetos e marcos gerais. Descreva o calendário de implementação com um mapa de projeto que inclua diagramas de Gantt. Os projetos podem ser desdobrados diretamente, a partir do Canvas.

Análise de Risco
Para concluir, descreva os fatores limitadores e os obstáculos, bem como os fatores críticos para o sucesso. Neste caso, você pode obtê-los a partir de uma análise SWOT do seu Modelo de Negócios (veja a pág. 216).

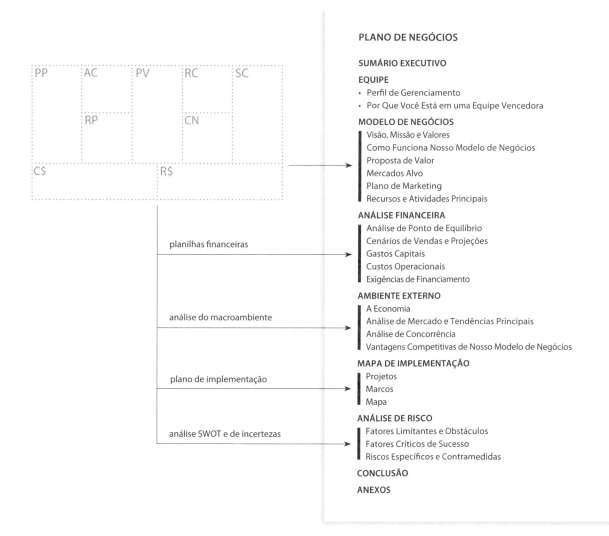

PLANO DE NEGÓCIOS

SUMÁRIO EXECUTIVO

EQUIPE
- Perfil de Gerenciamento
- Por Que Você Está em uma Equipe Vencedora

MODELO DE NEGÓCIOS
Visão, Missão e Valores
Como Funciona Nosso Modelo de Negócios
Proposta de Valor
Mercados Alvo
Plano de Marketing
Recursos e Atividades Principais

ANÁLISE FINANCEIRA
Análise de Ponto de Equilíbrio
Cenários de Vendas e Projeções
Gastos Capitais
Custos Operacionais
Exigências de Financiamento

AMBIENTE EXTERNO
A Economia
Análise de Mercado e Tendências Principais
Análise de Concorrência
Vantagens Competitivas de Nosso Modelo de Negócios

MAPA DE IMPLEMENTAÇÃO
Projetos
Marcos
Mapa

ANÁLISE DE RISCO
Fatores Limitantes e Obstáculos
Fatores Críticos de Sucesso
Riscos Específicos e Contramedidas

CONCLUSÃO

ANEXOS

Implementando Modelos de Negócios em Organizações

Apresentamos os fundamentos da inovação do Modelo de Negócios, explicamos as dinâmicas dos diferentes padrões e descrevemos técnicas para inventar e projetar modelos. Naturalmente, há muito mais para se dizer sobre a implementação, que é crucial para o sucesso do modelo.

Já nos direcionamos à questão de como gerenciar múltiplos modelos de negócios (veja a pág. 232). Agora vamos nos voltar para outro aspecto da implementação: transformar seu Modelo de Negócios em um empreendimento sustentável, ou implementá-lo em uma organização existente. Para ilustrar, combinamos o Canvas com o modelo de estrela de Jay Galbraith, para sugerir aspectos do design organizacional que você talvez queira levar em consideração quando executar um Modelo de Negócios.

Galbraith especifica cinco áreas que devem estar alinhadas em uma organização: Estratégia, Estrutura, Processos, Recompensas e Pessoas. Colocamos o Modelo de Negócios no meio da estrela como "centro de gravidade" que une todas as cinco áreas.

Estratégia

A estratégia motiva o Modelo de Negócios. Você quer alcançar um crescimento de 20 por cento em novos segmentos? Isso deve estar refletido em seu Modelo de Negócios, em termos de novos Segmentos de Clientes, Canais ou Atividades-chave.

Estrutura

As características de um Modelo de Negócios determinam a estrutura organizacional ideal para sua execução. Seu Modelo de Negócios pede por uma estrutura organizacional altamente centralizada ou descentralizada? Se você implementar o modelo em um negócio estabelecido, a nova operação deve ser integrada ou independente (veja a pág. 233)?

Processos

Cada Modelo de Negócios exige diferentes processos. As operações que ocorrem em um Modelo de Negócios de baixo custo devem ser leves e muito automatizadas. Se o modelo busca vender máquinas de alto valor, os processos de qualidade devem ser excepcionalmente rigorosos.

Recompensas

Diferentes modelos exigem diferentes sistemas de recompensas. Um sistema de recompensas deve utilizar incentivos apropriados para motivar os trabalhadores a fazer a coisa certa. Seu modelo requer uma equipe de vendas para atrair novos clientes? Então seu sistema de recompensas deve ser voltado para o desempenho. Seu modelo depende da satisfação do cliente? Então seu sistema de recompensas deve refletir esse compromisso.

Pessoas

Certos modelos exigem pessoas com estilos peculiares de pensamento. Por exemplo, alguns modelos de negócio pedem mecanismos particulares de empreendedorismo para levar produtos e serviços ao mercado. Tais modelos devem dar uma margem de manobra significativa aos empregados, o que significa contratar pessoas de mente abertas, proativos e confiáveis.

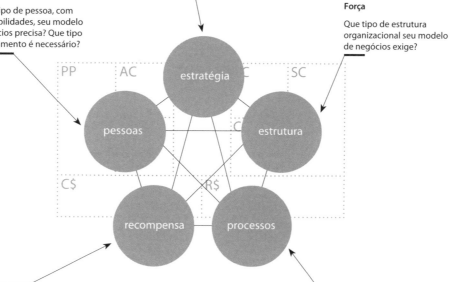

Alinhando a TI com Negócios

Alinhar sistemas de informação aos objetivos do negócio é fundamental para o sucesso de uma empresa. Os diretores executivos perguntam aos seus diretores de informação se a infraestrutura de TI está adequada? Como saber? Como podemos alinhar nossos negócios com nossos sistemas de tecnologia da melhor forma possível?

A empresa de em tecnologia da informação Gartner destaca esta questão em um relatório chamado "A TI ideal: Utilizando Modelos de Negócio". A Gartner avalia que o Canvas de Modelo de Negócios ajuda CIO's a compreender rapidamente como um negócio funciona sem ser atrasado por detalhes operacionais. A Gartner recomenda que esses executivos façam uso do Canvas para alinhar TI e os principais processos de negócio. Isso ajuda a alinhar decisões de negócios e TI sem mergulhar demais em questões táticas.

Consideramos útil combinar o Canvas com um método de Arquitetura da Empresa. Muitos dos vários conceitos de Arquitetura da Empresa descrevem o empreendimento a partir de três perspectivas: a perspectiva do negócio, a perspectiva de aplicativo e a perspectiva da tecnologia. Recomendamos utilizar o Canvas para guiar a perspectiva do negócio, e depois alinhá-la com as perspectivas de aplicativo e tecnologia.

Na perspectiva de aplicativo, você descreve o portfólio de aplicativos que alavancam aspectos de seu Modelo de Negócios (ex.: sistemas de recomendação, aplicativos de gerenciamento de fornecimento, etc.) e descreve todas as exigências de informação do Modelo de Negócios (ex.: perfis de clientes, estoque, etc.). Na perspectiva da tecnologia, descreva a infraestrutura tecnológica que motiva seu Modelo de Negócios (ex.: uma fazenda de servidores, sistemas de armazenamento de dados, etc.).

Os autores Weill e Vitale propõem outro modo interessante de explorar o alinhamento de TI. Eles combinam categorias do serviço de infraestrutura de TI com modelos de negócios. Weill e Vitale propõem alinhar modelos de negócio com a infraestrutura de aplicativos, o gerenciamento de comunicação, de dados, de TI, de segurança, a arquitetura de TI, o gerenciamento de canais, a pesquisa e o desenvolvimento de TI e o treinamento e a educação em TI.

Na página a seguir, reunimos alguns destes elementos em um gráfico para ajudá-lo a levantar algumas perguntas fundamentais em relação ao alinhamento entre negócios e TI.

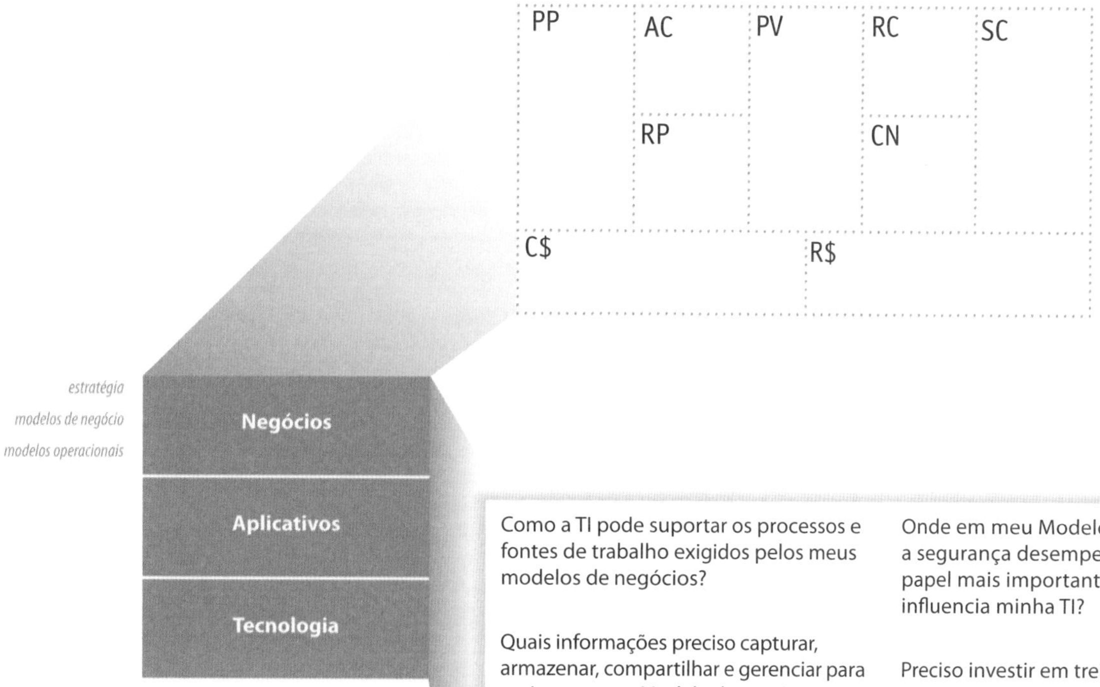

PP	AC	PV	RC	SC
	RP		CN	
C$		R$		

estratégia
modelos de negócio
modelos operacionais

Negócios

Aplicativos

Tecnologia

Como a TI pode suportar os processos e fontes de trabalho exigidos pelos meus modelos de negócios?

Quais informações preciso capturar, armazenar, compartilhar e gerenciar para aprimorar meu Modelo de Negócios?

Como meu portfólio de aplicativos alavanca as dinâmicas específicas de meu Modelo de Negócios?

Como a arquitetura de TI, os padrões e opções de interface limitam ou alavancam meu Modelo de Negócios?

Que infraestrutura tecnológica é exigida e crucial para o sucesso de meu Modelo de Negócios?

Onde em meu Modelo de Negócios a segurança desempenha o papel mais importante e como ela influencia minha TI?

Preciso investir em treinamento e educação em TI para alavancar meu Modelo de Negócios?

Investimentos em pesquisa e desenvolvimento de TI podem aprimorar meu Modelo de Negócios no futuro?

DE ONDE VEIO ESTE LIVRO?

CONTEXTO

2004: Alexander Osterwalder apresenta sua tese de Ph.D. sobre inovação de modelos de negócios, com o professor Yves Pigneus, na HEC Leusanne, Suíça. Avançando.

2006: o método descrito na tese começa a ser aplicado em todo o mundo com base no blog sobre Modelos de Negócios de Alexander, reconhecidamente em empresas como 3M, Ericsson, Deloitte e Telenor. Durante uma oficina na Holanda, Patrick van der Pijl pergunta **"por que não há um livro que acompanhe o método?"** Alexander e Yves aceitam o desafio. **Mas como alguém se destaca em um mercado saturado de livros de estratégia e gerenciamento?**

INOVANDO O MODELO

Alexander e Yves decidem que **não podem escrever com credibilidade um livro sobre inovação de modelos de negócios sem um Modelo de Negócios inovador.** Eles descartam as editoras e lançam o Hub, uma plataforma online para compartilhar seus escritos começando já do primeiro dia. Qualquer um com interesse no assunto pode se juntar à plataforma, pagando uma taxa (inicialmente de US$ 24, que gradualmente subiu para US$ 243 para manter a exclusividade da plataforma). Este e outros Fontes de Receitas inovadores financiam a produção do livro antecipadamente, o que também é uma inovação. Quebra o formato de estratégia e gerenciamento convencional de livros para criar mais valor para os leitores; ele é cocriado, altamente visual, e complementado por exercícios e dicas de atividades.

PÚBLICO-CHAVE
Visionários e pioneiros...
Empreendedores/ consultores/ executivos

274

FABRICADO EM...

Escrito: **Lausanne, CH**
Projetado: **Londres, GB**
Editado: **Portland, EUA**
Fotografado: **Toronto, CA**
Produzido: **Amsterdã, HOL**
Eventos: **Amsterdã & Toronto**

PROCESSO

A equipe principal, composta por Alexander, Yves e Patrick, começa o projeto com um número de encontros para esboçar o Modelo de Negócios do livro. O HUB é lançado para cocriar o livro com praticantes da inovação de modelos de negócio em todo o mundo. O Diretor Criativo Alan Smith, do The Movement, ouve falar do projeto e oferece o apoio da sua empresa. Finalmente, o membro da Hub Tim Clark se une à equipe principal após reconhecer precisarem de um editor. O grupo é complementado pela JAM, companhia que utiliza o pensamento visual para solucionar problemas de negócios. Um ciclo é iniciado para gerar conteúdo "fresco" para a comunidade Hub em busca de comentários e contribuições. A produção do livro é agora um processo completamente transparente. Conteúdo, design, ilustrações e estrutura são constantemente compartilhados e discutidos com o membros da Hub em todo o mundo. A equipe principal responde a cada comentário e integra as respostas ao livro e ao design. Um breve lançamento é organizado em Amsterdã, Holanda, de modo que os membros da Hub possam se reunir pessoalmente e compartilhar suas experiências com inovações de modelos de negócio. Rascunhar os modelos participantes com a JAM é o principal exercício do dia. Duzentas cópias protótipos da edição limitada especial (não finalizada) do livro vão para impressão e um vídeo do processo é produzido pela Fisheye Media. Depois de muitas outras versões, a primeira impressão é produzida.

FERRAMENTAS UTILIZADAS

ESTRATÉGIA:
- Análise do Macroambiente
- Canvas de Modelo de Negócios
- Mapa da Empatia do Cliente

CONTEÚDO E P&D:
- Insights do Cliente
- Estudos de Caso

PROCESSO ABERTO:
- Plataforma Online
- Cocriação
- Acesso ao Trabalho Não Finalizado
- Comentários e Feedback

DESIGN:
- Processo de Design Aberto
- Moodboard
- Protótipos em Papel
- Visualização
- Ilustrações
- Fotografias

OS NÚMEROS

9
anos de pesquisa e prática

1.360
comentários

470
coautores

45
países

19
partes do livro

137.757
visualizações do método online antes da publicação

8
protótipos

13,18
GB de conteúdo

200
cópias de uma impressão bagunçada de teste

28.456
post-its

77
discussões no fórum

4.000+
horas de trabalho

287
ligações por Skype

521
fotos

REFERÊNCIAS

Boland, Richard Jr., e Callopy, Fred. Managing as Designing (Gerenciando como Designer). Stanford: Stanford Business Books. 2004.

Buxton, Bill. Sketching User Experience, Getting the Design Right and the Right Design (Rascunhando Experiência do Usuário, Acertando o Design e o Design Certo). Nova York: Elsevier. 2007.

Denning, Stephen. The Leader's Guide to Storytelling: Mastering the Art and Discipline of Business Narrative (O Guia do Líder para a Narrativa: Dominando a Arte e Disciplina da Narrativa de Negócios). São Francisco: Jossey-Bass. 2005.

Galbraith, Jay R. Designing Complex Organizations (Projetando Organizações Complexas). Reading: Addison Wesley. 1973.

Goodwin, Kim. Designing for the Digital Age: How to Create Human-Centered Products and Services (Projetando para a Era Digital: Como Criar Produtos e Serviços Centrados no Humano). Nova York: John Wiley & Sons, Inc. 2009.

Harrison, Sam. Ideaspotting: How to Find Your Next Great Idea (Encontrando Ideias: Como Encontrar sua Próxima Grande Ideia). Cincinnati: How Books. 2006.

Heath, Chip, e Heath, Dan. Made to Stick: Why Some Ideas Survive and Others Die (Feito para Colar: Por Que Algumas Ideias Sobrevivem e Outras Morrem). Nova York: Random House. 2007.

Hunter, Richard, e McDonald, Mark, "Getting the Right IT: Using Business Models (Obtendo a IT Correta: Utilizando Modelos de Negócio)" Gartner EXP CIO Signature report, Outubro 2007.

Kelley, Tom, et. al. The Art of Innovation: Lessons in Creativity from IDEO, America's Leading Design Firm (A Arte da Inovação: Lições de Criatividade da IDEO, a Firma Líder de Design da América). Nova York: Broadway Business. 2001.

Kelley, Tom. The Ten Faces of Innovation: Strategies for Heightening Criativity (As Dez Faces da Inovação: Estratégias para Elevar a Critividade). Nova York: Profile Business. 2008.

Kim, W. Chan, e Mauborgne, Renée. Blue Ocean Strategy: How to Create Uncontested Market Space and Make Competition Irrelevant (Estratégia do Oceano Azul: Como Criar Espaço de Mercado Incontestado e Tornar a Concorrência Irrelevante). Boston: Harvard Business School Press. 2005.

Markides, Constantinos C. Game-Changing Strategies: How to Create New Market Space in Established Industries by Breaking the Rules (Estratégias de Mudar o Jogo: Como Criar Novos Espaços de Mercado em Indústrias Estabelecidas Quebrando as Regras). São Francisco: Jossey-Bass. 2008.

Medina, John. Brain Rules: 12 Principles for Surviving and Thriving at Work, Home and School (Regras do Cérebro: 12 Princípios para Sobreviver e Ter Sucesso no Trabalho, Casa e Escola). Seattle: Pear Press. 2009.

Moggridge, Bill. Designing interactions (Projetando Interações). Cambridge: MIT Press. 2007.

O'Reilly, Charles A., III, a Michael L. Tushman. "The Ambi-dextrous Organization (A Organização Ambidestra). Harvard Business Review 82, nº 4 (Abril 2004): 74-81.

Pillkahn, Ulh. Using Trends and Scenarios as Tools for Strategy Development (Utilizando Tendências e Cenários como Ferramentas para Desenvolvimento de Estratégia). Nova York: John Wiley & Sons, Inc. 2008.

Pink, Daniel H. A Whole New Mind: Why Right-Brainers Will Rule the Future (Toda Uma Nova Mente: Por Que Pensadores com o Lado Direito do Cérebro Dominarão o Futuro). Nova York: Riverhead Trade. 2006.

Porter, Michael. Competitive Strategy: Techniques for Analyzing Industries and Competitors (Estratégia Competitiva: Técnicas para Analizar Indústrias e Concorrentes). Nova York: Free Press. 1980.

Roam, Dan. The Back of the Napkin: Solving Problems and Selling Ideas with Pictures (O Verso do Guardanapo: Resolvendo Problemas e Vendendo Ideias com Imagens). Nova York: Portfolio Hardcover. 2008.

Schrage, Michael. Serious Play: How the World's Best Companies Simulate to Innovate (Jogo Sério: Como as Melhores Companhias do Mundo Simulam para Inovar). Boston: Harvard Business School Press. 1999.

Schwartz, Peter. The Art of the Long View: Planning for the Future in an Uncertain World (A Arte de Enxergar Longe: Planejando para o Futuro em um Mundo Incerto). Nova York: Currency Doubleday. 1996.

Weill, Peter, e Vitale, Michael. Place to Space: Migrating to Ebusiness Models (Mover para o Espaço: Migrando para Modelos de Ebusiness). Boston: Harvard Business School Press. 2001.

Reação do Mercado

A resposta do mercado ao BMG - *Inovação em Modelo de Negócios* tem sido extremamente gratificante. A primeira impressão de 5.000 livros esgotou em dois meses, sem orçamento de marketing e sem apoio de uma editora tradicional. As notícias sobre o livro se espalharam exclusivamente pelo boca-a-boca, em blogs, websites, e-mails e via Twitter. A maior recompensa são os encontros locais, onde leitores e seguidores da Hub se unem para discutir o conteúdo do livro, formados espontaneamente por todo o mundo.

#BMGEN

@business_design Três passos para utilizar com eficiência o "Inovação em Modelo de Negócios": 1) Compre o livro 2) Faça testes ao vivo 3) Fique *impressionado ;-)* http://bit.ly/0zZh0
@Acluytens

Animado! O livro Inovação em Modelo de Negócios chegou! Será um "fim de semana lendo", desculpe querida! :-) #bmgen
@tkeppins

Ainda silêncio em casa esta manhã. Bebericando um cappuccino e lendo Inovação em Modelo de Negócios.
@hvanderbergh

Eu tenho um dilema: terminar minha leitura obrigatória para a aula ou me divertir com o Inovação em Modelo de Negócios por @business_design...
@vshamanov

Acabei de pegar minha cópia do Inovação em Modelo de Negócios por @business_design projetada por @thinksmith Ainda mais bonita que imaginei #bmgen
@remarkk

Indo para #ftjco para visitar @ryan-taylor e pegar emprestado sua cópia de #bmg hoje à noite. Estou mais que empolgado!
@bgilham

Estou TÃO tentado a fazer anotações no meu #bmg, mas ele é muito bonito para ser destruído. Acho que preciso de 2 cópias. #bmgento
@skanwar

Acabei de receber minha cópia do Inovação em Modelo de Negócios – parece ser tão bem produzida quanto útil. Parabéns!
@francoisnel

@business_design Estou IMPRESSIONADO pelo tanto que aprendi com o #bmg!! Não posso agradecer o suficiente por ter escrito ele!
@will_lam

Estou lendo Inovação em Modelo de Negócios... Este é, talvez, o mais elegante e inovador livro que já li!
@jhemlig

Estou tão apaixonada pelo meu exemplar! Obrigado @business_design #bmg
@evelynso

Acabei de receber meu Inovação em Modelo de Negócios. Muito bom!! A nova era de inovação em produção de livros.
@Neerumarya

Lendo Inovação em Modelo de Negócios, por Alex Orterwalder e Yves Pigneur: melhor livro de gestão em muito tempo.
@JoostC

Estou tão feliz por ver +40 pessoas abraçando o pensamento Inovação em Modelo de Negócios em Toronto #bmgento —a cidade está explodindo!
@davidfeldt

Acabei de receber meu "Inovação em Modelo de Negócios". É fundamental para empreendedores que pensam novo.
@Peter_Engel

O livro Inovação em Modelo de Negócios trará mais profundidade às atuais, e frequentemente superficiais, discussões de gestão. #bmgen http://pic.gd/6671ef
@provice

Seu grande experimento acabou de chegar ao Japão. A primeira impressão de "Inovação em Modelo de Negócios". Um livro de dar choque nas mãos.
@CoCreatr

Inovação em Modelo de Negócios é realmente um livro impressionante. Me sentindo como uma criança no Natal com ele nas mãos. #bmgen
@mrchrisadams

Inovação em Modelo de Negócios em um solitário restaurante de Londres. O livro é belamente projetado. Uma vez visto, não há como esquecer.
@roryoconnor

Meu Inovação em Modelo de Negócios, por @business_design & Yves Pigneur chegou! Tão incrível ter sido uma PEQUENA parte dele.
@jaygoldman

Sou só eu, ou todo mundo em Toronto está pegando um exemplar do Inovação em Modelo de Negócios? #bmgen
@will_iam

Minha edição de http://www.businessmodelgeneration.com chegou! Este é o livro mais bacana de todos os tempos! Uau! #bmgen
@snuikas

Excitado por ter participado do livro Inovação em Modelo de Negócios. Agora publicado!!
@pvanabbema

@thinksmith @business_design @patrickpijl Cara, estou feliz! Insano. Que resultado incrível.
@dulk

Feliz como uma criança. Acabei de receber minha cópia do Inovação em Modelo de Negócios http://tinyurl.com/l847fj incrível o design do livro.
@santiago_rdm

Coloquei minhas mãos no livro #bmg há alguns dias, muito bom! Ótimo trabalho, @business_design, @thinksmith
@evangineer

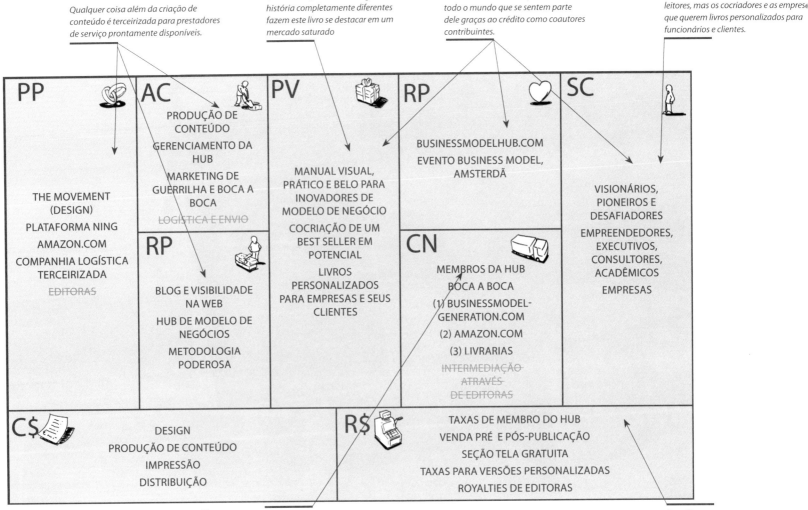

Alex Osterwalder, Autor

Dr. Osterwalder é escritor, palestrante, e conselheiro na área de inovação de modelos de negócios. Seu método prático para projetar modelos inovadores, desenvolvido junto ao Dr. Yves Pigneur, é praticado em diversas empresas pelo mundo, por companhias que incluem 3M, Ericsson, Capgemini, Deloitte, Telenor e muitas outras. Anteriormente ele auxiliou a construir e vender uma empresa de consultoria, participou no desenvolvimento de uma organização sem fins lucrativos para combater a AIDS e a Malária na Tailândia e realizou suas pesquisas na Universidade de Lausane, Suiça

Yves Pigneur, Coautor

Dr. Pigneur é professor de Sistemas de Gerenciamento de Informação na University of Lausanne desde 1984, já foi professor convidado na Georgia State University em Atlanta e na University of British Columbia em Vancouver. Ele foi pesquisador principal em muitos projetos de pesquisa envolvendo design de sistemas de informação, engenharia de exigências, gerenciamento de tecnologia da informação, inovação e e-business.

Alan Smith, Diretor Criativo

Alan é um alguém que pensa grande que ama detalhes. Ajudou a fundar uma agência de ótimo nome: The Movement (O movimento). Lá, trabalha com clientes inspirados para combinar o conhecimento da comunidade, lógica de negócios e pensamento de design. As estratégias, comunicações e projetos interativos resultantes parecem saídos do futuro, mas sempre se conectam com as pessoas de hoje. Por quê? Por que ele projeta como se aquilo realmente importasse – cada projeto, cada dia.

Tim Clark, Editor e Coautor Contribuinte

Professor, escritor e palestrante no campo do empreendedorismo. A perspectiva de Tim é guiada por sua experiência na fundação e venda de uma consultoria de pesquisa de marketing que já atendeu a firmas como Amazon.com, Bertelsmann, General Motors, LVMH e PropleSoft. O pensamento em Modelo de Negócio é chave para seu método, o *Empreendedorismo para Todos* de aprendizado pessoal e profissional, e crucial para sua tese de doutorado sobre portabilidade internacional de modelos de negócio. Inovação em Modelo de Negócios é seu quarto livro.

Patrick van der Pijl, Produtor

Patrick van der Pijl é fundador da Business Models, Inc., consultoria internacional de modelos de negócios. Patrick ajuda organizações, empreendedores e equipes de gerenciamento a descobrir novas formas de fazer negócios, visualizando, avaliando e implementando novos modelos. Patrick ajuda clientes a alcançar o sucesso, através de oficinas intensivas e cursos de treinamento.

Planeje seu Negócio

ROTAPLAN
GRÁFICA E EDITORA LTDA
Rua Álvaro Seixas, 165
Engenho Novo - Rio de Janeiro
Tels.: (21) 2201-2089 / 8898
E-mail: rotaplanrio@gmail.com